ことば、身体《からだ》、学び

「できるようになる」とはどういうことか

為末大 TAMESUE Dai
今井むつみ IMAI Mutsumi

はじめに　為末 大

深遠で面白い、ことばの世界へ

僕が子どもの頃に入っていたクラブは2つで「読書部」と「陸上部」でした。読書部は本を読んで感想文を書くというシンプルなものでしたが、静かな部屋で夢中で本を読むことが楽しかったのを覚えています。

今も身体《からだ》にかかわること、ことばにかかわることを仕事にしているので、子どもの頃好きだったものはずっと変わらないなと感じています。このバックグラウンドをお話しすると、意外だという反応が返っています。多いのは「スポーツをやる人が本が好きなんて」というものか「本を読む人がスポーツをするなんて」というものです。まあ実際には両方好きな人はいらっしゃるのだと思いますが、すぐには身体とことばが結びつかないのだろうと思います。

確かに「あいつは口ばっかりだ」と、ことばばかりで行動しない人のことを揶揄したりしますし、スポーツ選手が「口べた」だと言われることもありました。どちらも好きだった僕は、なんとかこの2つはそれほど離れていないのだということを伝えたいという気持ちがありました。

本書でもたくさん例が出てきますが、ことばによって身体の動きは変わります。走る時に足がみぞおちから生えているようにと言うと、多くの人の走りはより柔軟に大きくなります。もしことばがなくて、自分でそう動こうと思っても難しいのです。ことばによりあるイメージが想起され、そのイメージによって動きが変わるのです。

逆に身体によってことばが変わることもあります。

陸上選手は地面に足がついて体重がかかる瞬間が走る速度を決定づけるために、その感覚にとても敏感になります。選手同士の会話でも「もっと柔らかく」とか「もっと受動的に」とか「もっと乗り込む感覚で」などと、地面を踏むという感覚に対してあらゆることばでアプローチします。結果、「踏む」周辺のことばを使う感覚が研ぎ澄まされます。

スポーツは「動き」の世界です。動くということは、連続的でつながりがあることです。静止画をことばで表現するのとは違い、動きを含めて表現しなければなりません。もし正確に描写をするなら、どれだけことばが必要なのだろうかと思います。仮に数万のことばを用いても動きを本当に正確に描写することはできないでしょう。

一方で数値化すると動きが表現できるかというとそんなこともありません。動きは三次元的で数値で表現したものはその一部を切り取ったものでしかありません。仮に三次元的な動きを数値化したところで、僕たちの認知がそのような複雑な情報に追いつけないでしょう。

映像で映せばより正確ではないかと思われるかもしれません。確かに映像は正確に動きを映すのですが、それをやっている本人がどこに意識を置いて、どこに力を入れているかを伝えることができません。車の動きを遠くから眺めているようなもので、運転席の中でどう運転しているかが見えないのです。

このように本人の主観的な意識も含め、動きを描写する方法は今のところありません。その中でももっとも優れているのがことばなのです。しかも、複雑なことばではなくシンプルな表現のほうが人の動きを変えていきます。

今井先生の本を読んで、ことばの世界の深遠さに引き込まれました。ことば自体もそうですが、ことばによっていかに僕たちが世界を認識し、学んでいるかがとても興味深かったのを覚えています。ことばと身体、そして僕たちの学びは、どう関係しているのか。今井先生との対話の中で、深遠で面白いこの世界に飛び込んでみたいと思います。

本書は、まず僕が「ことばと身体」についての体験や考察をお話しし、そこから発生した「問い」を今井先生に投げかけ、今井先生とお話ししながら「解いて」いく、という順で進んでいきます。

ことば、身体《からだ》、学び　もくじ

2章　ことばと身体

3章　言語能力が高いとは何か

4章　熟達とは

5章　学びの過程は直線ではない

1章　ことばは世界をカテゴライズする

末為

［考］ことば　究極の編集行為

動きを引き出すためのことば

以前、ハードルを跳んだことのない人に、ハードルを跳んでもらうということがありました。中には、なかなか跳べない人もいました。跳べない理由はいろいろあるのですが、多くの場合、ハードルに当たって転びそうで怖いということがあります。

この場合、伝えることばはシンプルで、「ハードルの上に襖《ふすま》をイメージしてそれを蹴破るように跳ぶこと」です。跳べなかった方も、一度跳べると、そのあとはどんどんよくなりました。

スポーツをするうえで、このようなことばはいろいろあります。例えば、スクワットをする時、膝がつま先より出てはいけないのですが、「膝を出さないように」と言っても、普通にしゃがんだ状態から膝を伸ばして立ち上がると、膝がつま先より前に出てしまいます。そこで、初心者の方には、「少し後ろにある椅子に座るように腰を下ろして、おじぎしながら、そこから立ち上がりましょう」という言い方をします。

一方、競技者でスクワットをやっている人には、「膝裏をたたく」という言い方をすることがあります。そうすることで、若干、斜め上方に方向性が生まれて、きれいなスクワットをすることができるのですが、これを、スクワットをはじめたばかりの人に言うと、かえって変な動きを生んでしまうことがあります。いったん膝が伸びておじぎのような姿勢になり、それから立ち上がることになってしまうからです。

つまり、同じことば（比喩）でも、学習者のレベルによって有効である場合とない場合があります。コーチングのうまい人は、学習者のレベルによってどのようなことばが的確かを直感的に判断し、巧みにことばを使う人が多いです。

映像で確認することの問題点

ことばを使うということは、究極の編集行為のようだと感じています。つまり、ことばというのは、視覚や聴覚や触覚など、あまたある外界の刺激のある部分をぎゅっと抜き出して表現します。特に、競技のうえでは、複雑に動く身体の適切な部分を、あることばによって捉えると、一気に全体の動きが変わるということがあります。

例えば、バタバタ走っている人に、「バタバタ走るな」と言ってもあまり変化がなかったのに、「空き缶を潰すように地面を踏みなさい」と言った瞬間に、全体がぴたっとハマるような動きに変わったりします。具体的な空き缶を見せるより、ことばでそう表現するほうが、効果があります。そういうところが、ことばの非常に面白いところだと感じます。

選手は映像で一連の動作をすべて見ることができますが、映像よりもことばのほうが伝わる、ということもよくあります。例えばピッチャーに、ベテラン選手が投げている映像を見せて、「こう投げなさい」と言うより、「目の前の前方1・5メートルぐらいのところにタオルが下がっているので、それを指で弾くように投げなさい」と指導したほうが、効果があると聞きます。さらに、実際に投げたあとに、「あと2センチメートル前にタオルがあることをイメージして」などと指摘をすることで、より具体的に動きを調整することができます。

では、映像の何が問題なのでしょうか。それは、映像には非常に多くの情報があるのに対し、人間が意識できるのは、せいぜい1か所程度だということです。つまり、たくさんある情報の中で、本当に見なければいけないところはどこなのかわからなくなってしまうのです。熟練した人は、映像を見ながら勝手に意識をおくべきポイントを想像していますが、経験が浅い人にはそれができません。**映像は情報が多すぎて正確すぎ、人間が一時に**

処理できる処理能力を超えてしまっているのだと思います。

また、もうひとつの問題として、動きというのは、身体の内部から力が生まれた結果として、最終的にその形になっているのですが、映像ではその最後のところしか見ることができません。

例えば、ピッチャーがボールを投げた瞬間の指を切るような動きは、ただ、映像を見ても、真似をすることは難しいです。でも、「タオルを弾くように投げる」と言うと、最後にタオルにパチンと当てようとするので、自然と指を切る動きも出ます。

このように、**ことばは大事なところにスポットライトを当てることができるため、コーチングには、実は、ことばがいちばん適しているのではないか**と思っています。

受け手に合わせてことばを変える

ただ、はじめからそう考えていたわけではありません。競技をはじめたばかりの頃、動きというのは、図工の絵や写真のように、現実をそのまま映し出すということが大事であり、人はみな、そうしているものだと考えていました。つまり、目の前に理想の動きがあれば、人はそれを自然に吸収していくものだと思っていました。

でも、そのうちにどうもそうではないということに気づきました。理想の動きがあるのに、人の動きはそれと同じになりません。人によって骨格が違うからということもありますが、それだけでなく、人間の認識や認知には癖があり、同じものを見たり、同じアドバイスを受けても、受け取り方が人によって異なっていると感じるようになりました。また、そうすると、コーチングの言語はとても複雑になるとも思いました。

それぞれの認識が異なるということは、同じ動きを引き出すにしても、違うことばで伝えなければならないということです。先ほどの例で言えば相手が「投げる」ことをどの程度のレベルで理解しているか、さらには言葉を認識する際の癖などを想像しながらことばを選ばなければなりません。

受け取る人の認識を想像しながらことばを選ばないと、同じ動きを引き出せないのです。しかも、選手とコーチがどのくらいベースを共有しているかで、ことばは変わりますし、選手のレベルや癖に合わせて、適切なことばを使っていく必要もあります。

選手にブレイクスルーをもたらすことば

選手がスランプに陥った時、ことばによって、技術的なブレイクスルーを起こすことがあります。まずコーチは、選手がどのような動き（出力）をしていて、どのような意識（入力）をもっているか、選手自身がもつ身体イメージを想像します。そして、ことばによって選手にある枠組みを与え、選手はそれにより今までとは違う動きを行うことができるようになるわけです。

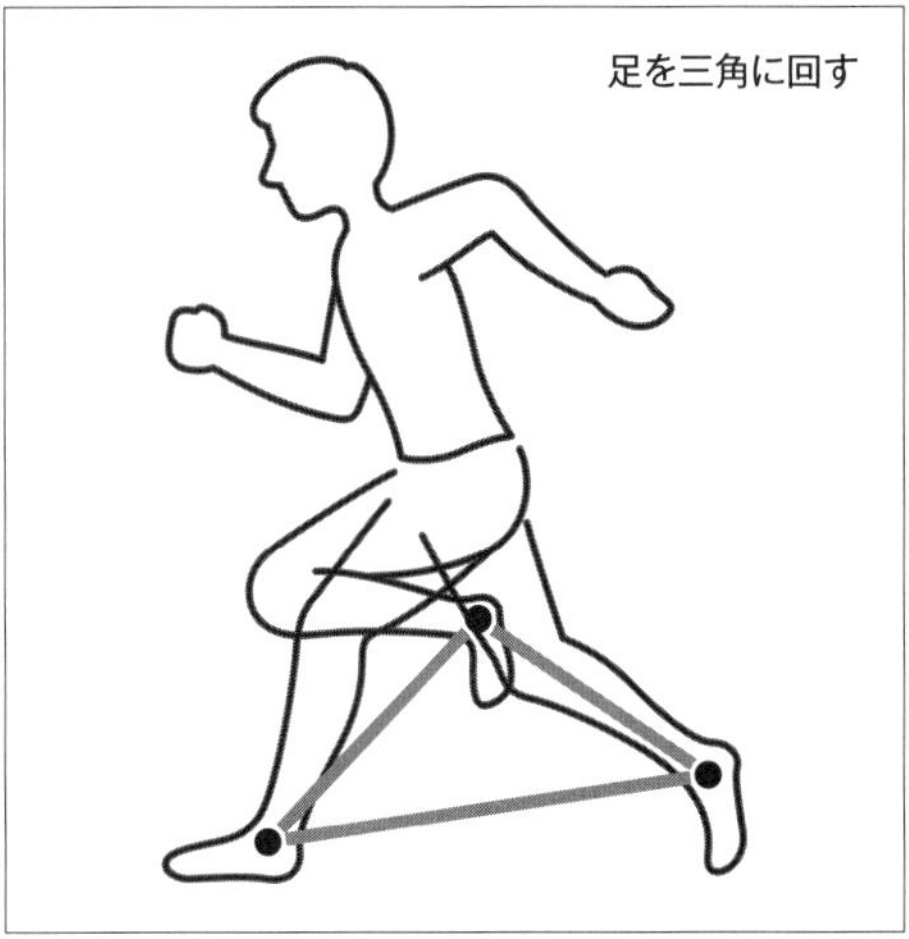

僕自身、これまで、いろいろな方からいただいたアドバイスで、技術的なブレイクスルーを経験したことがあります。そのひとつが、「足を三角に回す」ということばです。これは、22歳の頃、スランプに入っていた時、陸上競技選手だった高野進《たかのすすむ》さんからいただいたアドバイスでした。

「三角」というのは、走っている人間を横から見た時の足の軌道です。陸上競技では、足が後ろに流れるのはよくないと言われていて、実際、トップ選手ほど、走る時に足が後ろに流れません。でも、「足を後ろに流すな」と言われても、なかなかイメージしにくいものです。

そこで、足のくるぶしあたりで、三角の軌道を描くことをイメージすると、足が後ろの角に到達した時、三角形の鋭角に沿って、角度が変わることを意識できます。これにより、足が後ろに流れないような動きを引き出すことができるのです。アドバイスいただいた当時は、よくわからなかったのですが、言われたとおりに走ってみて、「あ、こうやると足が後ろに流れない」ということを実感することができました。

ですから、結果として得た学びは、「三角に回せた」というよりは、「足が流れないというのは、こういうことなのだ」ということだったのですが、そこに至るパスとして、このことばがあったということです。

高野さんは、ことばのセンスがすばらしくて、基本的には「正三角形で」と言いながら、僕が走ったあとに「もう少し二等辺三角形で」などの微調整もしていました。それはおそらく、僕の頭の中にある三角形のイメージと、実際の動きとの誤差を、そうしたことばによって埋めていたのだと思います。僕にとっては、この「正三角形で」が、スランプを抜けるブレイクスルーのことばとなりました。

みぞおちから足が生えているように

もうひとつ、ブレイクスルーを経験した例を挙げると、ハンマー投げの室伏広治《むろふしこうじ》さんに言われた「膝の位置ってどこだと思う?」ということばです。まるで禅問答のようですが、室伏さんがおっしゃりたかったのは、狙いたい動きを引き起こすためには、実際の膝の位置ではないところに膝があると考えたほうがうまくいくことがある、ということでした。

つまり、膝を前に動かしたい時、現実の膝を動かそうとするより、ももの中央を動かそうとしたほうが、より膝が前に動くということです。動かしたい場所（やりたいこと）と、動かそうとする場所（意識する場所）が同じほうがいいとは限りません。身体のどこに注目するか、その位置を置き換えることで、目的としている動きを引き出すことができます。

同じようなことばで、陸上の世界では「みぞおちから足が生えているように」という表現があります。これも、そのことばを聞いただけでは、まったく意味がわからないのですが、実際に、みぞおちから足が生えているようなイメージで走ると、自然に、骨盤のあたりまで動かすことができるようになります。

ただこの時、「腰をこのように動かしたら、足が勝手に動く」ということを、自分で体験して理解することが大切です。**ブレイクスルーは、体験によって「このことか!」とわかった瞬間に起きます。**競技の場合、少なくとも身体的なことに関することは、どれだけすばらしいことばを聞いても、それを、体験をとおして理解することがなければ、何も変わりません。コーチングの言葉で、架空の身体をイメージし、現実の身体の動きを改善することを行います。そして身体的に「わかる」という感覚を得て、それを再現するよう努力する。身体的に「わかったもの」が、結果として、さらに言語化されていくとも言えるのです。

末為 【問】 ことばが世界をつくるのか、世界がことばをつくるのか?

前述したように、スポーツの世界はことばとの関係が深く、たとえば「大きく動け」と言った時でも、本当に大きく動かすために、大きく動けと言う場合と、大きく動こうとすることによって出てくる違う動きを狙いたい場合があります。つまり、扱うことばによって、ものの見え方が変わったり、認識が変わったりするわけです。

ことばが認識をつくるのか、認識からことばが生まれるのか……、おそらくその両方があるのだと思うのですが、これはスポーツの根幹にも近くて、興味深いです。この点について、今井先生にお話をうかがってみたいと思います。

今井［解］子どもが、動詞学習が苦手な理由

動詞は目に見えない

今井　為末さんのお話と質問をうかがいました。とても面白いテーマだと思います。ただ、まだ研究されていないこともたくさんあるので、全部答えられなくても許していただきたいと思います。

さて、私が子どものことばの学習を研究する中で、為末さんが関心をおもちになりそうな実験があります。これは、私が実際に行ったオノマトペを使った動詞学習の実験です。

実は、子どもというのは、動詞の学習がすごく苦手で、なかなか動詞を使いこなせるよ

うになりません。

でも、オノマトペをもじり、「チョカチョカ」「ノスノス」など、音と意味のつながりをもつようなことばをつくって動詞を学習してもらうと、よく習得できるという結果が出ました。

為末 それは、記憶しやすいということでしょうか？

今井 記憶しやすいということもありますが、そもそも、子どもたちには動詞の認識の問題というものがあるのです。**動詞は、ある動作につけられた名前です。ところが、実際にはその動作だけがあるわけではありません。**私たちが目で見ている世界には、たくさんの要素があります。まず主体がいて、動作があり、そこには背景もありますよね。

為末 あ、確かに！ 名詞とは違いますね。

今井 そうなのです。人が見ている場面というのは全体です。登場人物やモノや背景が全部、混然となった場面を、私たちは見ています。動詞というのは、そこから登場人物もモノも切り離し、動作だけを抽出するということをしないといけません。さらにそのうえで、今度は人もモノも背景も異なる場面で、同じ動作を切り出し、その動詞を使えるようになってはじめて、その動詞を習得したといえます。

先ほど為末さんが、映像は情報が豊富すぎて情報処理が追いつかないとおっしゃっていました。動詞を学習する子どもはまさにその問題に直面しています。動詞を学習するということは、**非常に詳細で豊富なビジュアル情報を目の前にして、その一部だけを動詞の意味として抽出しなければならない**のです。でもそれは、3歳くらいの子どもにはすごく難しいことなのです

先ほどお話ししたのは他動詞的な動作ですが、自動詞でも同じです。歩き方もいろいろで、例えば「クマがノスノス歩いている」と教えられたら、クマがウサギでもカエルでも、同じような重い足取りで歩いている時、「ノスノス歩いている」と使えるようになることが、ことばを学んだということです。でも、3歳くらいの子どもは、クマがウサギに変わってしまうと、同じ動作をしていても、わからなくなってしまうのです。

為末　考えたこともなかったですけれど、動詞は、基本的に目に見えないですか？

今井　目に見えるか見えないかと言ったら、そう、見えないです。

為末　関係性ですものね。

今井　みなさん、目に見えるものは具体的で、見えないと抽象的というふうに考えられると思うのですが、実は、動詞というのは、例えば「歩く」や「走る」など、具体的で目に

見える動作を表すものでも非常に抽象的です。
つまり、目に見えている「今ここのリアリティ」というものがありますが、動詞を学ぶには、そのリアリティからかなりの要素を無視して、あるところだけに注目しないといけません。そのように、膨大な情報の中の、どこを切り取るかということを見つけることは、とても難しいことなのです。だから、モーションキャプチャーで、人を消して、点の動きだけにすると、1歳の子どもでもけっこうその動きを表すことば、つまり動詞に結びつけることができるのです。

為末　なるほど（笑）。

馬が「歩く」姿と人が「歩く」姿は似ていない

今井　「歩く」が抽象的だと思う人はあまりいないと思うのですが、私はいつも大学の授業で学生に、「歩く」状況についてできるだけ多く考えてみてくださいと話しています。
競歩の選手が歩いている姿、子どもがよちよち歩いている姿と大人が急いで歩いている姿、それからオオサンショウウオが歩いている姿、犬が歩く姿と馬が歩く姿。それら全部をイメージしてみてください、と。

それらのビジュアルイメージの共通性はどういうものでしょうか？　馬がギャロップしている姿と、歩いている姿を、私たちは明確に言い分けますが、どちらもビジュアル的にはとても似ています。さらにその2つを、馬が歩く姿と人間が歩いている姿と比べると、どちらがよりビジュアル的に似ているでしょうか？　多次元の情報をすべて含めてＡＩに与えて計算させたら、馬が歩く姿とギャロップをする姿のほうが、馬が歩く姿と人間が歩く姿の比較よりも、類似性が高いはずです。

それなのに私たちは、ことばでは、人間が歩いている姿と馬が歩いている姿を、どちらも「歩く」と言い、一方で、馬のギャロップとは異なる動作であると、明確に区別しているわけです。

競歩でも、「歩く」と「走る」を明確に区別して、走ったとたんに失格になるでしょう？

「歩く」と「走る」の違い

為末　そうですね。両方の足が浮いたら、その瞬間に失格。ロス・オブ・コンタクトといって、両足が浮いてはならないという基準があります。それが、競技的に競歩としては、「走る」ということになります。

ちなみに陸上競技的に、「歩く」と「走る」の違いは、**ジャンプ運動が入ると「走る」**です。「歩く」にはジャンプ運動が入らない。つまり、足に1回、体重がかかったあと、それが落ち着いて、次の1歩にいくか、体重がかかってから地面を蹴って跳び上がるかの違いです。縄跳びで、1回ごとに着地していた子が、連続で跳びはじめると、ぴょんぴょんととび跳ねはじめますが、それが「走る」の足の動きです。それが片足ずつになり、前方移動が加わると、「走る」という動作になります。

今井　とても面白いですね！　子どもには、こうした「歩く」と「走る」の違いを理解することがなかなか難しいのです。「歩く」も「走る」も、実は非常に抽象的で、子どもは、「走る」ということばを聞いた時、非常に豊富なビジュアルイメージから、ほんの一部だけ取り出さなければなりません。

それはつまり、ジャンプが含まれているか含まれていないかという点のみに注目し、動きの主体や速さ、背景など、動きに含まれるほかの要素を全部抑制しなければならないということです。歩くから走るへのビジュアルイメージの変化は連続的でとても微妙なのに、目視では見逃してしまうような「ジャンプ運動」の有無で線引きをして2つの動詞のカテゴリーに振り分ける。これが、動詞学習の難しさです。

しかもさらに、学んだ動詞を一般化し、汎用していく必要があります。つまり、「歩く」や「走る」を「アルク」「ハシル」という音としての記号に対応づけたら、それで終わりではなく、人でも馬でもオオサンショウウオでも、同様に正しく「歩く」と「走る」を使い分けられるようにならなければなりません。

為末　野球などで「球が走る」という表現もしたりしますけれど、そんなものが出てきたら子どもにとっては、もうえらいことですね。

今井　そう、えらいことです。でも、そもそも言語というのは、そういうものなのです。

赤はどこまで赤なのか

今井　実は、色の名前なども、非常に抽象的です。動詞と同じで、私たちが色を見る時、色サンプルでもないかぎりは、モノと一緒に見ています。でもモノには色以外の視覚特徴もたくさんある。モノの形や模様があったり、いろいろな質感を持っていたりする。

だから色の名前を覚えるというのは、色、テクスチャー（触った感じ）、模様など複数の特徴が一緒になっているモノの視覚情報から、**ほかの特徴への注意を抑えて「色」だけに注意を向け、カテゴライズしなければならない**ということなのです。

しかも、カテゴライズするためには色の範囲を知らなければならないのですが、それも抽象的で、例えば「トマトが赤いね」と言った時の赤、あるいは「消防車が赤いね」と言った時の赤、どこまでが赤の範囲なのか、どこにも書かれていないし、大人も教えることができないわけです。そして、赤に白が混じって明度が上がれば、赤ではなくてピンクになるし、青みが強くなれば、あるところから紫というようになる。そういう**色の語彙のシステムの全体を大きくつかめていないと、色のカテゴライズはできない**のです。しかも、そのシステムのつくられ方は、日本語とかドイツ語とか、言語によって違うので、子どもは自分の覚える言語（母語）のシステムを自分で探索し、発見しなければならないのです。

色を表すことばはいくつあるか

今井　日本語の場合は、最低でも14くらいの色を表すことばがあって、これは世界のさまざまな言語の中でも桁違いに多いです。こんなにたくさんのことばで、色の世界を切り分けているのです。ちなみに世界の言語では、色を表すことばは、一般的にいくつあると思いますか？

為末　日本語が14ですよね？

今井　英語は11くらい。それでも世界の言語の平均からするとすごく多いのです。

為末　つまりそれだけ、ほかの言語では色のことばが少ないということですか？

今井　だいたい5つか6つの言語がもっとも多いと言われています。

為末　え、色が⁉

今井　そう、色を表すことばが。100以上の言語をサンプリングして、統計的に見ていくと、分布のピークにあるのが6語と聞いたことがあります。ただ、それも、何を基本の色のことばとするかという定義にもよります。

　私たちは、**色の感覚は普遍的だという前提**に基づいて話をしていますが、その前提で本当にいいのか。例えば、為末さんが見ている赤と、私の見ている赤が同じなのか、違うのか。

　しかも、一見「同じ色」を指すことばがあるように思えても、**言語や文化の間で、そのことばを使う範囲や文脈が違う**ことも多いです。例えば神社の鳥居の色は、英語圏では典型的なオレンジです。でも、私たちはあれを赤だと言う。信号の色も、日本語では青と言いますが、英語圏では典型的なグリーンで、ブルーとは言いません。そういうふうにさまざまな違いがあるわけです。

為末　それに色のことばは、本当に色そのものとして、受け取られるわけではないところもある気もします。例えば、ある世代より上の人たちは、赤というと共産主義的なイメージがついたり、最近では、青や緑にエコというイメージがあったり……。企業のブランディングでもイメージを考えて色を選んだりしています。

今井　そうですよね。ただ、色に関連したイメージについては、普遍的なものもあって、例えば、暑い寒いで分けた時、赤は暖かいあるいは暑いイメージ、青は冷たい、クールなイメージというマッピングまで反対になることはないと思います。でも、日本語の感覚が、ほかの言語でもすべて同じとは限りません。

為末　日本語で「この色はこういうイメージ」ということが伝わっても、それが世界で同じ意味合いに取られるかはわからない。

今井　そう、好みも違うし。日本では比較的落ちついた色が好まれる感じがしますが、中国では赤や金が好まれますよね。そのように好みが違うということが、言語学で言ういわゆる意味とは何かということにもつながっていきます。

ことばは世界をカテゴライズする

今井　一般にことばが指し示す対象がわかると、ことばの意味がわかると思いがちです。でも実は感情のもつ価値すなわち感情価が、ことばの意味にとって非常に大切です。同じ対象を指していてもよいイメージがあることばと、それがニュートラルなイメージやネガティブなイメージを想起させることばがあります。

先ほどの赤や金のように、色でさえ、文化に根ざした好みのようなものがあり、それがわからないと、意味を理解できないということも多々あります。このような好み、つまり感情価は、ことばの意味においてあまり意識されませんが、無視できない重要な部分なのです。

話を戻すと、**世界は本当に多層的で連続的です。ことばはそのなかから一層だけを切り取り、それを、連続量ではなく、離散量としてカテゴライズします。**ことばの働きの特徴をまずひとつ挙げなさいと言われたら、そこに尽きると私は思いますね。

為末　離散量というのは、どのように考えればよいのでしょうか？

今井　カテゴリーということです。連続量は文字どおり、ずっと連続的に続いていること、離散量はそれをカテゴリーに分けるということです。

色についていえば、紫と赤の間というのは、世界の側では、そこにスパッと線が引かれているわけではないですよね。でも、私たちは、**紫や赤ということばで、本来連続的に推移するものに線を引いて区別する**わけです。

アパレル業界や繊維業界のカタログを見ると、ありとあらゆる名前をつくり出していま す。白に少し黄色味が入った色をシャンパンといって、「特別な白です」という意味合いを含ませたりする。そこでは白を細分化し、カテゴリーに分けて、特別な意味をのせているわけです。これを含意、英語ではコノテーションと言います。紫もパープルとかバイオレットと言い分けることで、意味合いを変えたりしますよね。

さらに、先ほどお話ししたように、色というのは質感のひとつにすぎません。私たちは色を、テクスチャーや模様などと一緒に見ています。つまり、本来、多元的な中で捉えている色という感覚を、そこだけすくい取って、色という概念をつくり出し、色という名前を与え、赤や青や緑ということばをつけてカテゴリーをつくるということをしているわけです。これは、先ほどの動詞についても同じことが言えます。

為末　歩くや走る、ですね。

今井　そうです。歩くや走るも、あるいは色のことばもそうですが、結局、目の前にある現実世界を映像のようにそのまま切り取ったことばというのはないのではないかなと思います。

為末　ない……、確かに。

オノマトペと動詞学習

今井　そうした中で、オノマトペはある意味、抽象性が比較的低い、身体に近いことばと言えるかもしれません。もちろん、日本語のように、オノマトペが語彙として発達してくると、例えば、雷の音を「ゴロゴロ」と言ったり、寝ていることを「ゴロゴロ」と言ったりするなど、ひとつのオノマトペが非常に多義性を帯びます。多義性というのはひとつのことばが複数の意味を持つことです。

でも、少なくとも、「ノシノシ歩く」と言った時は、音と身体の動きがつながります。オノマトペには、そういう音から意味がわかるアイコンのような性質があるため、子どもにもわかりやすい。実は、先ほどの**オノマトペを使った動詞学習の実験を、日本語をまったく知らないイギリス人の2、3歳児でも行ったところ、同じように学習の促進効果があり**

ました。

英語の音を使って、英語に聞こえる実際にはない造語をある動作にあて、動作する人が変わっても同じ動作にその覚えたばかりの動詞を使う。たったそれだけのことが3歳児には難しいのですが、「he is doing nosu-nosu」のように全然英語っぽくない、日本語のオノマトペで動作を名づけたら、子どもは、動作主が変わってもその動詞を同じ動作に使うことができたのです。

為末　イギリスの子どもにはなじみのないオノマトペでも？

今井　はい。

為末　それは、英語の中にある、なんらかの要素を想起しやすいことばを抽出しているから、覚えやすかったということでしょうか？

今井　ポイントは、英語の音ですね。「no-su-no-su」のように、音として、英語を話す人にも動きとのつながりがよいと感じられるものは、学習効果がありました。

逆に成績が悪かったのは「ヒャイヒャイ」。私たちは、わりと軽い、おどけたような動きを想像できると思うのですが、実は、これは日本人の2歳児でも成績が悪かったです。

さらに、英語の場合は、「ヒャ」という音もありませんし、英語話者の中には、逆の意味にとってしまう人もいました。

このような動きに関連したオノマトペはかなり実験しましたが、どんな言語にも共通に使えるオノマトペは、むしろ少ないかもしれません。例えば、日本語の「ぴょんと跳ぶ」の「ぴょん」は、外国人の選手には、なかなか通じないのではないでしょうか。

為末　そうですね。外国人に限らず、日本の子どもたちにも、通じるオノマトペと、そうでないものがあるように思います。子どもたちの陸上の練習で、あまり足をきびきび動かしてない子には「きびきび動け」というより、「今から、熱いフライパンの上を走るぞ」と言うほうが、きびきび動くようになる……。

今井　確かにそれは、「きびきび」というより、ずっと伝わるかもしれない（笑）。オノマトペが万能でオノマトペを使うと必ず伝わると言うことではありませんが、ことばの抽象的な意味を推測するうえで役に立つ手がかりのひとつにはなります。

「熱いフライパンの上を走る」は小学校中学年以上の比較的年齢の高い子どもには伝わりやすいと思いますが、幼児にはオノマトペのほうがわかりやすいかもしれません。

先ほどのお話にあったように、コーチの役割は、誰かの成功体験から導き出されたひとつの法則を誰にでも当てはめようとするのではなく、目の前の学習者の発達段階や理解度、習熟度などによって柔軟にもっとも有効な（つまりもっともダイレクトに伝わりやすい）ことばをかけることにあるといえると思います。

2章　ことばと身体

末為

［考］

選手の調子を上げる音とリズム

「調子がいい」と錯覚すると、本当によくなる

1章でオノマトペについてお話をうかがいました。

競技スポーツの世界には、**オノマトペで選手をのせるのがうまいコーチ**がいます。正確にはオノマトペではないかもしれませんが、選手が走っている横で、「パパパパ」のように口で破裂音をつくって、選手のピッチを上げるようにリードしたりします。

また、野球では、**選手の調子をよくするブルペンキャッチャー**がいるそうです。ブルペンキャッチャーというのは、ピッチャーが試合前にウォーミングアップで球を投げる時、その球を受ける相手です。「この人が球を受けるとピッチャーの調子が上がる」というブルペンキャッチャーがいて、それはなぜかというと、球がミットに入った時のバシッという音を出すのがうまいからという話でした。

つまり、そういうキャッチャーが球を受けた時のほうが、ピッチャーは球が速いと感じるそうです。このため、ピッチャーは球を投げているうちに、だんだん「俺、今日調子が

いいな」と感じ、調子が上がった状態で、そのままマウンドに出ることができるというわけです。

また、深夜や屋内で走ると速い感じがするということも言われていて、これは、音の反響と視覚が関係していると考えられています。スポーツの世界では、このような音の作用についてよく調べられています。**実際、音のフィードバックで、選手が「調子がいい」と錯覚すると、身体の連動やリズムが本当にそうなる**ということがよくあります。

スポーツの世界では、身体の連動のイメージには音声が有効

オノマトペ的なことばの話に戻すと、僕たちはハードルを跳ぶ時に、「タタ・タタターンじゃない、タタタタ・ズッ・ターンなんだ」という表現をすることがあります。「ズッ」と音を入れた瞬間に、選手は1回、沈み込みが入る。「タタ・タタターン」は、ずっと高いところで跳んでいる感じですが、「ズッ」という低音かつ濁音が入ることで、動きが変化します。これもオノマトペとは少し違うかもしれませんが、リズムと音の高低で、身体の動きを誘導しているところはオノマトペと通じるものがあるのではないかと考えています。

実は、リズムは身体の動きに不可欠です。なぜなら、動きは、身体の部位が連動していくことだからです。例えば、ピッチングで球を投げる時、肩から上腕、そして前腕という力の伝達のタイミングがちょっとでもずれると、うまく球を投げることができません。肩から手首への連動が起きず、肩と手首に同時に力が入ってしまうことを、「手投げ」というのですが、そうならないように注意する時、言語だけで伝えようとすると、選手はかえってぎくしゃくして、ロボットのような動きになってしまいます。

一方、「鞭のように、最後はピシッと投げる」などとリズムや音をあわせて表現すると、動きに連動が起きて、しなりが生まれます。そのように、スポーツの世界では、身体の連動のイメージには音声のほうが向いていて、方向性や軌道のような視覚的イメージはことばのほうがふさわしいと考えられます。

為末［問］ことばと身体とは？

1章で、オノマトペは身体により近く、オノマトペを使うことで、子どもの動詞学習がより容易になるということをお聞きしました。実際、スポーツの世界では、音の高低やリズムは、人の身体の動きを誘導します。では、ことばと身体には、関係があるのでしょうか？

今井 ［解］ 胎児はリズムから ことばを学ぶ

赤ちゃんは生まれてすぐでも母語のリズムがわかる

今井　まず、リズムというところからお話しすると、言語にいろいろな要素がある中で、赤ちゃんがお母さんのおなかの中で、最初に学習するのは、リズムなのです。

為末　へえ！

今井　赤ちゃんはお母さんの羊水の中にいて、細かい音の区別はできないのですが、リズムと音の高低、つまり韻律はわかるわけです。だから生まれてすぐに、自分の母語のリズムと、そうではない言語の韻律を区別することができると言われています。

これは、言語を学習する時に、とても大事な第一歩なのです。大人は文字ベースで外国語を習いますが、赤ちゃんは文字もわからないし、そもそも単語の意味もわかりません。

だからどのように、文を大まかな構造に分けていくかというと、そこで韻律が大事な要素となるのです。例えば「ここで下がった」「息継ぎをした」「ちょっと間が開いた」というリズムや音の上がり下がりは、**赤ちゃんにとって、「ここが文の切れ目なんだ」ということを知る大事な手がかりになっている**のではないかと思います。

為末　今のお話で思ったのですが、リズムは大人が文章を読んで理解するうえでも影響しますよね。言葉が印象に残る時には、論理的にわかることと、言葉の響きが残ることがあると思います。詩なんかは後者をとても意識している感じがしますよね。

僕も文章を書く時は、読み上げた時に、音として入ってきやすいことばかどうかを気にする癖があります。

「アンパンマン」から受けた啓示

今井　響きがよいということは非常に大事だと思いますね。以前、特急列車に乗っていた時、前の席の2、3歳の男の子が、ずっと「アンパンマン！」と言い続けていたことがありました。ご両親は、それはもう気がおかしくなりそうな感じでしたが、私はその時、啓示を受けたのです。アンパンマンというのは、すごいことばなのだと。

2歳くらいの子どもは、アンパンマンが本当に大好きなのですが、あれはアンパンマンのキャラクターが好きという以前に、アンパンマンということばの響きがよいからだと思いました。

為末　なるほど、ことばの響きですね！

今井　2歳くらいの子どもには、発音しにくいことばというのがたくさんあって、「たちつてと」「さしすせそ」「らりるれろ」などは、うまく言えません。でも、聴覚は赤ちゃんの時から発達しているので、音の聞き分けはできるのです。それで、自分で言えない音でも、これは違うということがわかってしまう。

だから大人が、子どもの真似をして、例えば「ライオン」を「ダイオン」と言うなど、間違った発音をすると、子どもはすごく怒るわけです。そうじゃないでしょ、と。自分は言えないというもどかしさがあるわけです。そうした子どもたちにとって、アンパンマンということばは、口を開けて閉じればいいので、あれほど言いやすいことばはありません。

先ほど、私たちはお母さんのおなかの中にいる頃から、リズムや音の上がり下がりによって、ことばを認識しているとお話ししましたが、そういう意味で、韻律は、ことばの要素としてはいちばん原初的です。ですから、為末さんがおっしゃった「タタタタ・ズッ・ターン」のような表現は、外国の選手にも通じるのではないでしょうか。

為末　ええ、英語を話せない時、外国の選手に、ハードルのことをそうやって教えていました。あと、リズムの表現として、ゴルフでは「チャーシューメン」という言い方をするそうです。僕の動きは、「タンタンメン」になっている、「チャー」で待てと言われました。

今井　あ、そうなの！（笑）

オノマトペの特徴

為末　そういうのもオノマトペに入るのでしょうか。

今井　はい、入ると思います（笑）。実は、オノマトペに決まった定義があるわけではないのです。ただ、いくつか特徴はあります。

まず、**音そのものが意味をもつ**というところです。一般のことば、例えば「うさぎ」という音から意味は連想できないですよね、でも「ふわふわ」というオノマトペはいかにもふっくらやわらかい印象を与えます。でも、音と意味にすぐわかるつながりがない場合でも、ことばの形から「オノマトペ」と捉えられることもあります。

例えば音を重ねる。「皺」はオノマトペではないですが、「しわしわ」と重ねるとオノマトペのように聞こえます。特に幼児ではよく音を重ねます。「拭く」という動詞も、「ふきふき」と言うとオノマトペらしくなる。だから**重ねるリズムで動きの連続性を表現する**、ということはありますね。

あと、オノマトペだと、**特定の音を伸ばして言ったり、短く言ったりして、言いたいことを強調する**こともしやすいです。例えば「道路がつるつるしている」というのを「道路がつーるつるだ」と言ったり、「ずずっとすべった」というのを「ずずーっとすべった」と言ったり。オノマトペでないことばではしにくいですね。「やわらかい」を強調するのに「やーわらかい」とはあまり言いませんよね。

為末　オノマトペはそれ自体が意味をもたないことも大事ですか？　チャーシューメンというとそれ自体意味をもってしまう。それは関係ないですか？

今井　オノマトペに意味がないかといえば、意味はあると思います。ただ、チャーシューメンは物理的な対象がありますよね。オノマトペは物理的な対象自体を指すというより、その属性を引っ張ってきて、音で表したものといえると思います。

オノマトペについて、おすすめの本がありますよ。山口仲美《やまぐちなかみ》先生というオノマトペ研究の大家が書かれた『オノマトペの歴史』（風間書房）。ベストセラーになった『犬は「びよ」と鳴いていた』（光文社未来ライブラリー）をはじめ、過去に発表された論文などを集めたもので、1巻と2巻があります。これは本当に面白いし、示唆深いですね。

為末　へえ、面白そうですね。

今井　為末さん、けっこう夢中になるんじゃないかな。古典を紐解きながら、オノマトペがどういうふうに発展してきたのかなどが書かれていて、学術的ですけれど読みやすいです。

言語学ではかつて、オノマトペは単なる赤ちゃんことばのような扱いでした。でも、今は言語学でも、心理学でも、多くの研究者が取り組む大きなテーマになりました。

オノマトペは日本語だけでなく、世界中にあるのですが、私は、それが言語の進化にとって重要な鍵になっていると考えています。

為末　言語の進化ですか？

言語の進化

今井　私たちの研究分野で、言語のはじまりは、音の模倣だろうという仮説があります。音で、世界を模倣するところからはじまったのだろうと。

これに関連して、近年、私が行った実験で、面白い結果が出ました。**聴覚に障がいをもつ方々にご協力いただき、対象物に触っていただいて、その触感と提示されたオノマトペが一致するかという実験**をしました。

びっくりしたのは、みなさん、聴力がなくても、音と対象のつながりの良し悪しを、健常者とほぼ同じように判断できるのです。実験前、聾《ろう》者にとってオノマトペというのは、普通の副詞と変わらないだろうと思っていました。でも、実はそうではなかった。非常に身体に根ざしたものなのだろうということがわかりました。

為末　つまり、オノマトペは視覚的、触覚的な感覚とのつながりが強く、みんなが同じようなイメージをもっているということなのでしょうか?

今井　オノマトペが、というより、音象徴《おんしょうちょう》が、ということなのですが、**聴力がなくても、口の運動や、ものを触った時の感覚で、音と意味のつながりがわかる**というのは、つまり、視覚や触覚の属性を、口で模倣することによって、音象徴が生まれるのではないかという推論の証拠と考えられるのではないかと思っています。

為末　なるほど、面白いですね！

音の模倣から「記号」へ

今井　言語の進化について少しお話をすると、最初は単なる音の模倣で、ジェスチャーとあまり変わらないようなものですが、ことばとジェスチャーのいちばんの違いは記号性にあります。

記号というのは、システムの中ではじめて意味をなすわけです。つまり、ジェスチャーは単体でわかりやすいのですが、一方、記号は、記号A、記号B、記号Cをどのように区別するかということによって、A、B、Cの意味が生まれます。

そのようにシステムが生まれ、**記号の弁別、つまり差異というものが、それぞれの意味にとって、とても大事なものになっていくと、ことばの抽象度が上がります。**でも、そうした過程について、言語全体を真正面から受け止めて分析しようとすると、対象が大きすぎて、つかみどころがありません。その点、オノマトペというのは、言語を理解するうえで、こじんまりしていて、切り取りやすいのです。オノマトペもことばであり、日本語では、オノマトペ語彙のシステムがあるからです。

例えば、1章でお話しした「ゴロゴロ」ということば。もとは「雷がゴロゴロ鳴る」とか、「岩がゴロゴロ転がる」というように、音を模したことばだったと思うのですが、比喩的に転用されるようになると、例えば「おなかがゴロゴロする」「日曜日に家でゴロゴロしていた」などと使われるようになります。

為末　確かにわかりやすいですね。

今井　オノマトペの音というのは、環境の音の単なる模倣ではなく、それぞれの言語の音の特徴を使ったものなので、その音と感覚で、オノマトペの形態も変化します。犬やニワトリの鳴き声の表し方は、言語によって驚くほど異なるのですが、それはひとつに、音自体が、言語によって異なる音のシステムに依拠しているためでしょう。

また、もとは音の模倣であったものが、言語の記号として、文法の中に統合されると、それによって使われ方が制限されるということが起こります。

例えば「よろよろ」はオノマトペで音と意味のつながりを感じますが、「よろよろ」から派生した「よろめく」という動詞はオノマトペという感じがあまりしません。逆に、先ほどの「しわしわ」のように、もとは「皺」というものの名前であったものに、オノマトペの形式をあてはめることで、新たな視覚的感覚が生まれることもある。

オノマトペの歴史には、言語の抽象性やシステム性といったエッセンスが詰まっていて、面白いですよ。

為末　『オノマトペの歴史』、読んでみます。

ことばは文化の中へ埋め込まれていく

今井　ことばを学ぶということは、世界にあるいろいろなものや動作を、単に「こういうふうに呼ぶ」という決まり事を覚えることだけではありません。それは最初の一歩にすぎないのです。究極的には、**それがシステムとして、どういうふうに成り立ち、そのシステムの中で、今のことばがどのような役割を果たしているか**、そういう理解がないとことばを的確に使うことはできないでしょう。

また、たったひとつの意味しかもたないことばはほとんどありません。文脈によって揺れが生じると、文脈に合わせて、意味を拡張して使われることが頻繁にあります。例えば、「大根を包丁で切る」は「切る」という動詞のもっとも代表的な使い方ですが、「野菜を洗ったあと水をよく切ってください」とか、「あなたとはもう縁を切ります」とか、中心からずいぶん離れた使い方もよくされます。そうすると、ことばは、どんどん文化の中に埋め込まれていくのです。

為末　文化に埋め込まれるというのは、どういうことでしょう?

今井　文化というと大仰かもしれませんが、要するに人はメタファー、つまり、**物事を別の表現を使って表すことによってイメージを膨らませ、どんどんことばを拡張していく**ということです。オノマトペの意味も拡張しますよね。

「ぴえん」と「ぱおん」を最初に聞いた時には意味がすぐにはわかりませんでしたが、考えてみるとすごく面白い現象だなと思いました。「ぴえん」は泣き声の「ぴえーん」からきている泣きたい気持ちを表す若者言葉で、「ぱおん」はゾウの鳴き声が転用され、「ぴえん」と対比して「もっと大きな悲しみ」という意味で使われるようになったそうです。

言語の進化や変化は、メタファーと切り離せません。言語はメタファーを使って既存の使い方を創造的に拡張しようとする力と、慣習で制限をかけようとする力の均衡で成り立っていて、結局、慣習が負けて少しずつ変化していきます。

変わりゆくことば

今井　そういえば最近、ショックなことがありました。為末さん、今から3つの文章を言うので、1つだけ違うものを探してみてください。

A　鈴木さんにとって海外に転勤すること自体は悪い話ではないと思います。むしろとてもいい話だと思います。

B　鈴木さんにとって、海外に転勤すること自体は悪い話ではないと思います。それどころかとてもいい話だと思います。

C　鈴木さんにとって、海外に転勤すること自体は悪い話ではないと思います。なんならとてもいい話だと思います。

為末　難しいですね。どこか違いますか？

今井　私が想定した答えはCの「なんなら」。でもこれ、大学生に聞いても、全然わからなかった。答えはCだと言ったら、「信じられません」とまで言われました。為末さん、大学生と同じですね。やはり若い！

為末　そう聞くと、急にポジティブに受け取れるのですが……。もとは、どういうふうに使うのですか？

今井　私が知っている「なんなら」の代表的な使い方は、「昨日夜ふかししていたから寝坊していいよ、なんなら昼まで寝ていいよ」というものです。でもこのことばは近年、急速に意味が変化しているそうで、ＮＨＫ放送文化研究所のホームページで新しい使い方が紹介されていました。

私はたいてい、ことばが変わりつつあるということは気づくのですが、「なんなら」はまったく知りませんでした。しかもここ1、2年の話ではなく、もう10年くらいになるそうです。気づいたきっかけは、人気YouTube番組「ゆる言語学ラジオ」の水野《みずの》太貴《だいき》さんとメールのやりとりをしていた時に、水野さんの「なんなら」の使い方に違和感をもったことでした。それで水野さんに、先ほどの三択に似た問題をつくって聞いてみたらやはり全然わからなくて、「何を想定しているかすらわかりません」とおっしゃっていました。私はＳＮＳもやらないので、新しいことばの使い方に気づきにくくなっているかもしれません。実は、先ほどの「ぴえん」や「ぱおん」も最近知りました。

オノマトペを通じて日本語の体系を学ぶ

今井　オノマトペに話を戻すと、子どもがオノマトペを学ぶということは、それがどのような状況で使われるかを学ぶだけでは全然足りなくて、さらに抽象的なレベルで、こういう感覚の時にこういう音がつながるということを学ばなければなりません。つまり、**日本**

語の体系を、オノマトペを通じて学んでいくような感じなのです。音韻の体系しかり、意味の比喩的拡張しかり。

中には、「タタタタ・ズッ・ターン」のように、リズムと音のコードで表現され、万国共通の音と意味のつながりがあるものもあります。でも、多くは日本語の進化とともに生まれてきた、日本語に特有なものです。このため、外国人の大人にはわかりにくいこともあります。オノマトペの音と意味の身体的なつながりが、ごそっと抜けているところで、ただ辞書に書かれている「ことばの意味」だけを覚えなさいと言われても難しいですよね。

一方、日本語が母語の子どもはオノマトペが大好きですし、動作と意味と音のつながりを学ぶ時にオノマトペがいちばんわかりやすいのです。

身体のないAIはことばを「わかる」か

為末 言語の習得と身体感覚は関係しますか?

今井 言語はやはり身体に結びついていないとはじまらないと思います。認知科学で有名な「中国語の部屋(Chinese room)」という思考実験があります。中国語をまったく理解しない英語話者を部屋に閉じ込め、中国語と英語の完璧なマニュアルをわたして、中国語の質問をすると、英語で正しく回答することができる。しかし、果たしてその人は中国語を理解していると言えるか、というものです。

思考実験なので実際に行われたわけではありませんが、これはまさに、今、ＡＩでやろうとしていることなのです。**身体をもたない頭脳だけ、つまり身体と接地していないコンピューターが言語を学習することができるのかという問題**につながっていくわけです。

ＡＩ翻訳はここ数年で驚異的な進化を遂げていますが、ＡＩ翻訳のやっていることが、まさに「中国語の部屋」と同様、ある記号を別の記号に言い換えているだけで、そのひとつひとつの記号は、身体にも世界にも接地していないのです。

言葉が身体につながるということ

為末　接地と言うのはどういうふうに理解したらよいですか？

今井　地面につくという意味の「接地」で、英語でグラウンディングと言います。これを**記号接地問題**と言うのですが、あることばについて、その概念が身体に接地しているというのは、例えば算数で使われることばであれば、分数、小数、関数などについて、具体的に生活経験に根ざした例を自分ですぐイメージできるということです。

いちばん**基本的な概念が接地していれば、そこから具体的なイメージを離れて抽象的な操作が自然にできるようになります。逆に接地していないと、「記号から記号へ漂流する」**ことになります。

赤ちゃんがことばを覚えはじめる時、ことばが身体に接地しているというのは重要なことなのです。もちろんすべてのことばが身体に接しているわけではありませんし、私たちはリアリティをもたない言語概念も語彙にもっています。けれど、そうした実在をもたない概念を学習できるのはなぜなのかというと、その概念が、感覚世界に直接つながっていることばとつながることで、間接的につながりをもつことできるからです。

それによって、私たちは母語のことばを、実在をもたない概念も含めて、非常に自然に、自分の身体の一部のように感じることができる。ですから最初のことばが、身体に直接つながっているということは非常に大切なことなのです。

為末　先生のご著書の中にも書かれていましたが、最初、なんとなくふわふわした四本脚で動いている生き物をウサギとよんでみたら、それが犬とよばれたり、猫とよばれたりすることがあり、そこから特徴を推測して、耳が長いとどうもウサギっぽいというプロセスを経てウサギという単語を手に入れるのと、この生き物がウサギですと言われて覚えたのとでは、奥行きが違いますよね。

そのようなプロセス自体をなくして、ただ、**記号をあてはめるように覚えた言語は、果たして理解しているると言えるのか**、ということでしょうか。

今井　そのとおりです。色のことばを覚えることについてお話しした時にも言いましたが、ウサギということばがわかるということは、ウサギという音と、1羽のウサギという動物の実体を結びつけることができ、さらにどういう基準でどこまでがウサギなのか、ことばのシステムの中で、ウサギではなくなるのはどこからなのか、そのようなことを理解するということです。

つまり、ウサギという概念をもつためには、ウサギを取り巻くほかの動物、例えばリスなどウサギに似た動物がいて、それにも別の名前があり、さらにそれらをまとめて小動物と言うなど、語彙の階層、並列や上下の関係も一緒に探していくことができないと、ことばを使うことはできません。

為末　それも経験をとおして学んでいくということですね。

ことばのシステムを自分で構築する

今井　そうです。先日ある小学校を訪問した時に、小学5年生が「理由」と「原因」の意味の違いについて議論していました。「原因」は失敗した時に使う、「理由」は成功した時にも失敗した時にも使うと話していて、とても面白いと思いました。結局、子どもは、そして大人もまた、そのことばが使われた複数の状況とことばを結びつけ、共通項を探って意味を理解していくのです。

そして子どもにとって、そのように直接的な経験をとおしてことばのシステムを探しながら、大人が使っているシステムを自分の中で復元し、構築していくという過程が必要になります。その過程を知るためには、やはり**直接の知覚経験、すなわちことばが身体につながっているということは大事**です。

でもそれだけではなく、システムを自分で考えて構築していくという過程があるからこそ、仮に実体がない概念的なことばを聞いても、実体のあることばとの関係の中で理解することができるのです。そして、そのように理解したことばこそ、自分の知識の一部となり、身体の一部となります。そこをベースにして、直接経験のないことばも身体化していくことができる。子どもたちはことばを学ぶ過程で、このようなことを行っているのだと思います。

為末さんは「ことばには余白があるから、伝えやすい」とおっしゃっていました。繰り返しになりますが、映像と違ってことばは世界にある情報のすべてを「拾う」わけではなく、ある特定の情報のみを切り取って意味を伝えます。余白がたくさんある。つまり聞き手（あるいは読み手）が自分で考え、解釈する余地がたくさんあるということです。自分で考え、解釈した情報は知識となり、身体の一部になりやすいのです。

為末　身体的というところで、以前友人がある人にプロジェクトを途中で放り投げられて困った、と言っていたのを思い出しました。放り投げるというのは、放って投げるわけです。プロジェクトから抜けたという表現よりも、放り投げたではずいぶん印象が違って、主体的にプロジェクトを担っていた人が一気にやめてしまった感じがします。お話を聞いて多くの人がこの言葉にそんな印象をもつのは、身体で放り投げたことがあるからではないかと思いました。

このように放り投げるということばの感覚を、自分の中にもっていると、「プロジェクトを放り投げる」という言いまわしを聞いた時も、現場で起きたであろうことや、混乱がありありと感じられるのではないでしょうか。ベースとなる身体的な感覚や知識をもっというのは、そんな感じですか。

抽象的な概念を理解できる理由

今井　そうだと思います。基本的に私たちは何かを学ぶ時、必ず何かをベースにしないと学ぶことができません。それをたどっていった時、そのベースに、自分の直接体験や身体経験がなくても、リアリティをもたずに本当に役に立つものを学習できるのかというのが、「中国語の部屋」であり、ＡＩの問題です。ＡＩも、一見するとわかっているように見えるふるまいはできる場合が多い。でも、それは本当にわかっていることになるのだろうかという問いなのです。

私は基本的な概念が身体や経験につながっているから、その先の抽象的な概念を理解できると考えています。つまり**「今ここでの経験」を、ことばというものにパッケージ化することができるからこそ、私たちは今いるこの場所を離れて、今ここでは見えていない、自分が直接体験していないことを、過去のことでも未来のことでも、離れた場所にいる人にも伝えることができる**わけです。

これを言語学者たちは「超越性」と言うのですが、言語はこうした「今ここ」を離れることを可能にしていて、それによって、人間は非常に大きな知性やイマジネーションのもとを得ることができます。

為末　つまり身体や経験につながることが足がかりになるということですね。まさにグラウンディング（接地）ですね。

今井　そうなのです。何かに接地していれば、そこから超越できる。「今ここ」を離れ、想像力によって今見ていないこと、例えば過去に起こったことや未来に起こるかもしれないことを話すことができます。

さらに、過去に起こったことの原因について考え、話すこともできます。想像力によって、メタファーを使って知識を拡張させることもできます。

そしてそれができるというのも、やはりことばが身体に接地しているからです。1章で為末さんが話していた熱いフライパンの話も、熱いフライパンがどういうものかという経験がないと、意味をなしませんよね。

身体とことばの関係が研究されはじめたのは最近のこと

為末　陸上の練習で足をきびきび動かしてない子に、「熱いフライパンの上を走るぞ」と言うときびきび動くようになるという話ですね。

今井　そうそう。熱いフライパンの上を実際に歩いた経験はなくても、熱い砂浜やコンクリートなどの上を歩いた経験があれば、そこから熱いフライパンの上を歩くということが実感としてわかるわけです。

為末　すごく熱いものと身体が接触すると、どのような感覚が湧き上がるのか、類似の経験があればイメージできますね。

今井　そのとおりです。でも逆にそうした経験がない状況で、仮に「足裏全部が地面にべったり触れないようにできるだけすばやく歩く」などと言い換えても、それは記号から記号への単なる言い換えになってしまいます。

認知科学では、そのようにただことばで記述しているだけでは、接地していない概念の間を永遠にぐるぐる回るメリーゴーランドのような状況になると考えます。

ただ実は、認知科学で身体性と言語の関係が扱われるようになったのは、最近のことです。60年ほど前に認知科学という学問が起こった時には、身体と認知の関係性はまったく扱われていませんでした。文法でも語彙でも、それを記号として操作し、数学的に定式化するところが重要なことと思われていました。そこでは、言語というのは、身体から遊離した記号であり、A、B、Cなど恣意的な記号に置き換えて、その記号をどのように文にするかという操作だというふうに考えられていたのです。

抽象的な記号が身体経験に結びついていないと、そもそも学習ができないのではないかという考え方が起こってきたのは、ここ最近のことでしょう。私が1章でお話ししたオノマトペと動詞学習の論文を発表したのは２００８年ですが、抽象的な記号を学習するために、身体で感じられる意味が足場として使われていることを示したという意味で、当時としては先駆的なアイデアだったと思います。

その後、２０１１年にイギリスで行った同様の実験で、イギリス人の子どもにも同じ効果があるということを示すと、そのあたりからブームに火がついた感じです。２０１０年代のはじめ頃は、言語学習や言語処理が、身体につながっていることがいかに大事かという論文がたくさん発表されるようになりました。

「大きい」と「小さい」は実は難しいことば

為末　面白いですね。そういえば、僕の息子が2、3歳の頃、初めて「大きい」「小さい」という概念に気づいた時、車についてまでは「大きい」「小さい」ということを言うけれど、ビルについては「大きい」と言いませんでした。

それはどうしてかというと、おそらく彼は自然に、車というカテゴリーの中で大きいものと小さいものを分けていったのだと思います。それでそのカテゴリーに入らない、例えばビルなどの大きさは、概念として入っていなかったのではないでしょうか。

ほかにも日本が大きいか小さいかは、日本しか知らないのでわかりません。ビルは彼が経験した日常場面での「大きいモノ」を超えすぎていて、「大きい」という感覚をもてなかったからかもしれません。

そんなふうに「大きい」ということばについて、体感的に感覚を得ている気がしました。

そうした学習経験があるからこそ、実社会において、「期待が大きい」「期待が多い」といったことばを使うようになった時にも、**自分の中に体感的な測り方があって、その時々**

の文脈でどちらがより適切かを考えることができるのかなと思います。

今井　実は「大きい―小さい」はものすごく難しいことばなのです。基準を自分で探さなければならないので。

ですから中学生が負の数を学習すると混乱しまくります。マイナス5とマイナス3のどちらが大きいかわからない。これは絶対値としての大きさのことなのか、正方向無限大にどちらが近いのかという2つの「大きさの基準」に混乱するためです。

足がかりがつかみにくい数字の概念

為末　数字は、足がかりを何にするかがつかみにくいエリアですね。マイナスは現実的にはつかめません。

今井　算数の問題については、あとでもう少し詳しくお話ししたいと思いますが、分数も実は難しくて、例えば2分の1がどういうことか、経験としてリアルな感覚がもてないと、2分の1と3分の1の足し方を教わっても、それらを足した時に概算でいちばん近くなる数を「1、2、5」の中から選びなさいという問題に「5」などと答えてしまうのです。

つまり、2分の1と3分の1を足したらどういう数になるのかというところの想像が全然できていない。そういう生徒が中学生でもとても多いです。

ですから、最初に身体体験があるというのはとても重要なことなのです。そしてそこにことばが対応づけられていくわけですが、でも、ことばと外界の対象の対応づけは一対一ではありません。ひとつのことばに外界のひとつの典型的な事例を対応づければそのことばが使えるようになるかというと、そうではありません。

先ほどもお話ししましたが、ことばというのはシステムです。**そのシステムを探す過程で、もともと自分がもっていた概念のカテゴリーを修正して組みなおし、新しいシステムに少しずつ変化させていく**ということが行われます。

この変化があるから、新しいことにも対応できるし、新しい学びにもつながる。また、身体に直接結びついていない概念も学習できる、そういうことではないかと考えています。

為末　非常に興味深いです。次章ではことばの運用と学びについてもう少しうかがいたいと思います。

3章　言語能力が高いとは何か

為末［考］「確からしい」ことば

「ハードルの上で休んでいる選手」

ちまたでよく言語能力が高いということが言われます。僕も言語化が得意と言われることがあるのですが、言語能力が高いとか、言語化が得意というのはどういうことでしょうか。

まず、言語化するというのは、見たものそのままを言語で表現することではなさそうです。1章でもお話ししましたが、相手に、自分が見たものとまったく同じものを思いうかべてもらうことを目的としているとしても、実際には見たものそのままをことばで表現しているとは限りません。

例えば、「ハードルの上で休んでいる選手」という表現があります。数秒を競う競技の世界で、本当に休める局面があるはずはありません。しかし一瞬力を抜くことはあり得て、それがパフォーマンスに大きく影響します。そのことを伝えるために「ハードルの上で休む」と言います。

それは客観的な描写ではないですが、選手の身体感覚を想起させます。「ハードルの上で一瞬、筋の弛緩がある」と言われるよりは、伝えたいことを伝えることができます。

つまり、**動きに関する言語化とは、ある動きをいちばん特徴づけている部分を抜き出し、それを本人の主観と、客観的な動きを組み合わせて、比喩で伝えるという作業**なのだろうと思います。そしてそれを可能にしているのは、物事を観察し抽象的に捉える能力が影響しているのではないでしょうか。

ことばで自分を誘導する

僕の場合、言語化能力が高まったのは、**ことばで自分を誘導しようと自分自身でしてきたことが影響している**と考えています。どういうことばだと狙いたい動きが引き出せるのかを考えてきた結果、ことばで浮かぶイメージに対しとても敏感になりました。

以前、株式会社ゲンロンの創業者で評論家の東《あずま》浩《ひろ》紀《き》さんから、僕の文章は、「ことばが確からしい」という評論をいただいたことがありました。「確からしい」というのは、ことばによって、具体的に何かを指し示しているということだそうです。これもおそらく、競技の現場で、**具体的に身体が動き出すことばとそうではないことば**があることをたくさん経験したからだと思います。

競技の現場で、選手に何かを伝えようとするなら、相手がありありとイメージできる具体的なことばでないと効果はありません。それは自分が言われる立場だった時もそうでした。ですから、相手がピンとくるとはどういうことかをいろいろ試行錯誤した結果、ことばを選ぶようになり、それが「確からしい」ということになるのではないかと思います。

先ほどは動きを引き出す、動きを伝える際の言語化をお話ししましたが、相手の心を動かす目的の言語化もあると思います。

例えば、元陸上選手の朝原宣治《あさはらのぶはる》さんは、アメリカ人のコーチから100メートル走で、「マシーンになれ」と言われたそうです。「最初から最後までプログラムされたことをやる機械だ」と。このような表現をすることで、レース直前で心が周辺環境に過剰に反応しすぎることを防いで、淡々とレースに取り組める効果があるそうです。

コーチの中には、「だいたい結果は決まっているんだから、あとはなるようにしかならないんだよね」とボソッと言うような人もいて、そうすると、選手は「今さらあれこれやるより、一生懸命やるしかないか」と、ふっと力が抜けたりします。

オリンピックの会場などは、あまり長く話すことができないので、言い方や、相手にことばを発する時に立っている位置、距離、これまでの関係性などすべてを含んだ、無数の選択肢の中から、一言、心の動きを操作するようなことばを発する必要があります。

多くの人の心に残ることば

また、普遍的な気づきを与えるようなことばもあります。桐生祥秀《きりゅうよしひで》選手が2013年に男子100メートル予選で日本歴代2位の10秒01を記録した時、ウサイン・ボルト選手が桐生選手に言ったことばは、とても印象的でした。それはニュース番組の対談だったのですが、桐生選手が記録を出した時の映像を見ながら、「これからトップスピードを上げる練習をしていったほうがよいか」と質問すると、ボルト選手は「それは違う」と答えました。

そして、「多くの選手がトップスピードからさらに速くなろうとするが、それでは速度に足の回転が追いつかず逆に遅くなってしまう」と言いました。「**トップスピードに乗ったら、それ以上速くなろうと努力してはいけない**」というアドバイスで、表現としては、一瞬、何を言っているのだろうと思うかもしれません。でもこれは、僕たちにとって、とても深いことばなのです。

１００メートル走では一般に、60メートル地点ぐらいで最高速度を迎え、そこからゴールまでは減速します。つまり、技術的には、加速区間は60メートルまでで、いったん最高速度を迎えたら、その定義からもわかるように、それ以上スピードが出ないのです。

高速回転している自転車のペダルをもっと回そうとすると、力が入らなくて踏み外してしまうという経験をしたことがあるのではないでしょうか。１００メートル走でも同じで、それ以上出ないはずのスピードを頑張って出そうとすると、足がから回ってバランスを崩しスピードがガクンと落ちます。自転車のチェーンが途中で切れたような感覚になるのです。

説明されれば頭ではわかるのですが、でも実際に隣でライバルたちと競り合っている時にスピードを上げないというのは、スプリンターの本能に反しています。

それについてボルト選手は、「ペダルが最大まで回っている時はそれ以上漕げないのだから、焦ってさらに漕ごうとするのではなく、ペダルに足を合わせるべきで、そのほうが実はタイムが速い」ということを指摘しているわけです。それはつまり、「**自分の型を守り切れるところで、きちんとレースを終えなさい**」ということでもあり、陸上に限らず、多くの人の心に残ることばとなりました。

このように、人が感情的に揺さぶられることばと、ある物事を正確に描写していることばがあるというのは、とても興味深いです。

為末［問］言語能力が高いとはどういうことか

本書のはじめに、ことばは世界をカテゴライズするというお話がありました。世界は、ことばで線引きしなければ、区切りなく続いている、とも言えます。そのような中で、ことばによって、「これを話します」というところをくくった時、それが的を射ていたり、文脈にぴったりハマることばを選べる人を、「言語能力が高い」と言うのではないかという仮説を、僕はもっています。

指導の現場で、動作解析や、解剖学の研究者が指導者になると、ことばが正確すぎてうまくいかないというパターンが比較的多く見られます。股関節を伸展させて地面に圧を加える、というよりも「ゴムボールになったつもりで弾む」と言ったほうが選手に伝わることがあります。正確に語彙を扱えばいいわけでもなさそうです。案外、細かいことを説明しないで指導歴30年などというコーチが、「気合を入れて頑張るぞ！」と言ったほうがよかったりします。

そうなると、「言語能力が高い」とは、いったいどういうことでしょうか。

今井［解］ことばとは

ことばのもつ温度感

今井　まず、そもそもことばというのは2つの種類があると思うのです。

1つは認知的な意味合いで情報を伝える役割をもったもの、もう1つは感情を伝えることば。特にコーチングのような場面では、その2つは区別して考えたほうがいいのかもしれません。

為末　確かに、コーチングの言語は、あいまいだけれど温度が高い感じのことばと、とても具体的で正確だけれど、客観的すぎて温度が低い感じのことばがあって、この使い分けも大事な気がします。

日本は、どちらかというと、やや温度が高いだけということが多いような感じもしていますが……。

今井　そうですよね。海外ではあまり「気合いを入れて」とは言わない。

為末　指導の言語は、特に試合などの激しい局面では、コーチが理路整然と話しても、それを全部、選手が聞いているという前提には立てません。選手は試合に入り込んでいるので、耳から抜けてしまって、意識にとどまらない。

だから説明的な言葉はほとんど意味がないんですね。短い言葉で、その選手の心に響くことを言う。または選手に意識してほしい技術を、短く直感的にわかるように伝えるようにします。

今井　それは正しいですね。正しいと言うか、理路整然とした話が、みんなの意識に入っていくわけではないというのは、状況が刻々と変化している、厳しい試合の局面でなくても、普通に授業している時でも同じですよ。こちらは理路整然と話をしていても、学生には全然入っていかない……。

ことばのもつ抽象度の階層

為末　確かに、それはそうかも（笑）。例えば、ハードルの高さは91センチメートルで、身長170センチメートルの僕がまたいだ時にちょうどぎりぎり足がつくかどうかというくらいの高さです。この「またぐ」という表現は、ゆったりと大きく足を上げてハードルを越えるイメージがあります。

そこで、走りながらスピードをあげて一気に越えると「跳び越える」という感じが強くなる。この「跳び越える」には、やや上方に向けて高さが出る感じがします。

そのようにハードルを「跳び越え」ている選手に、「すり抜けるように跳べ」と言うと、今度は、前方に水平移動する感じが出てきます。これらを繰り返しているうちに、「またぐ」「跳び越える」「すり抜ける」の違いが明確にでてきます。

今井　ことばというのは面白くて、抽象度の階層があるわけです。だから、**あることをとても細かい粒度《りゅうど》で言うこともできるし、それよりももっと粒度を粗くして、抽象的に言うこともできる。**それが極端に抽象的になって、おおざっぱになると、「気合を入れよう」となるのかもしれない。

為末　僕は陸上競技をしてきた経験があるので、動きに関することばの粒度が細かくて、日常でもそういうことばの使い方をしたりするところがあると思うのですが、言語は文化圏によっても、細かく話すところとそうでないところがありますか？
　例えばエスキモーには、雪の呼び方がたくさんあると聞いたことがあります。そうすると、**言語によって、世界がある程度細かい粒度で見えていて、小さな違いを察知しやすいようになるのか、小さな違いを繊細にキャッチするので、ことばの粒度も細かくなる**のか……。

概念が先か、言語が先か

今井　そこは非常に難しくて、鶏が先か、卵か先かという問題になるわけです。これを発達的に考えると、赤ちゃんは、何もないところから言語を学べるわけではありません。赤ちゃんが言語を学ぶためには、何らかの概念的な理解が必要です。
　少なくとも、「これとこれは区別する」という違いを認識することは必要で、そういう意味では概念が先にないと言語は学べません。でも、いつも常に、概念的な区別が先にあるかというと、そうではなくて、いったん、システムとしての言語学習がはじまると、今度は、学習者は言語に頼ることで、自分の認識をつくるという循環のパスが生まれるわけです。

為末　概念とことばということで言うと、以前、アマゾンに暮らすピダハンという部族の本を読んだ時、彼らには左右を表すことばがなく、その概念もないという話がありました。

今井　それは対比の粒度というか、概念の分野にもよると思うのですが、言語がないと認識できない、学べない概念もありますね。左右はおそらくそうでしょう。前後は、自分の見えているほうと見えていないほうなので、言語がなくても区別はつくかもしれませんが、左右の概念はことばがないと理解できないと思います。

言語能力とは、推論する力、状況判断、語彙力

今井　先ほどの言語能力というところに話を戻すと、結局、それはことばというより、「**どのように伝えれば相手がこちらの意図を理解できるか**」**を推論する力**だと思います。つまり、文脈に応じて視点を変え、伝え方を変えることができる力が必要だということです。先ほど為末さんが言われたピダハンの人たちのように「右、左」の概念がない人たち

がいます。その概念がない相手に「左側」と言いたい時に、どう言えば伝わるか推論する力が必要ですよね。

それと、**「この文脈では今、どの程度の粒度で伝わればいいのか」という状況判断**の能力とも、非常に重なるところがあります。

為末　それは、すごく面白いですね！

今井　ただ、推論や状況判断ができても、それを**ことばで表現する語彙がないと伝えられない**場合もあります。だから、豊かな語彙をもっているということはすごく大事ですし、その一方で、語彙をいくらたくさんもっていても、状況判断ができないと、ことばの粒度が細かすぎて伝えたいことが伝わりません。ことばの粒度が細かいということは、応用範囲が狭いということなのです。

為末　いろいろなアイデアを包括しにくいということですね。具体的で正確になりすぎる。

「むかつく」しか知らない子どもたち

今井　そう。ここには使えるけれど、別のシーンでは使えないというようなことが起きるわけです。繰り返しになりますが、ことばというのは世界をカテゴライズしています。つまり、文章化されていない、連続的な区切りのない世界をことばは切り分けて意味を与えているのです。

しかもその区切り方というのが、ひとつのレベルだけでなく、複数の粒度の階層でできるというのが、人間のことばのすごいところだと思います。例えば、感情を伝えることばは、子どもには難しくて、最初は好きと嫌いという、ポジティブとネガティブしかありません。

なんでも「なんかむかつく」と言う人がいます。特に子どもにはその傾向が強いのですが、「むかつく」という状況の中には、非常にさまざまなものがあります。もう少し語彙が豊富で使い分けることができたら、もっと自分の感情を整理できるのにと思うこともあります。実際、**「むかつく」しか知らない子どもは、フラストレーションがたまると手が出やすい。**

為末　僕の分析では、体罰をふるう指導者は、うまくことばで表現できないストレスがあるのではないかと思っているのですが……。

今井　それはあると思いますね。あと、おそらく感情のコントロールができていないという状況もあるかもしれません。いずれにしてももう少し語彙があって、自分の気持ちを分析できると、手が出てしまうことを抑えられるのではないかという気がします。

「英語がうまい」とはどういうことか

為末　ことばにすると気持ちを整理できて落ち着くということもあるのではないでしょうか。選手の振り返りノートなどでも、自分の感情をことばにすると、自分をコントロールできると言われます。

　ことばで表現できない、人に伝わっていない感じというのは、やはりストレスだと思います。僕は英語圏に行って、**英語でやりとりをしている時、必ず自分の中にすっきりしない感じをもつ**のです。僕にとって、伝えきれないことがなぜこんなにつらいんだろうと考えます。

今井　そういう傾向はあるでしょう。特に、為末さんは非常にことばにセンシティブだから、余計にストレスが大きいのかもしれない。

為末　今、思ったのですが、英語についても、うまいとかへただということが言われます。この「英語がうまい」というのはどういうことだと思いますか？

今井　実はこれはよく聞かれる質問なのです。『英語独習法』（岩波新書）という本を出版したこともあって、どうしたら英語ができるようになるかということもよく聞かれるのですが、そもそも英語ができるというのはどういうことかをきちんと考えず、英語ができるようになりたいというのはおかしいのではないかと思ってしまいます。

為末　質問する方は、スキルみたいな感覚で言うんでしょうか？

今井　どうでしょうか。英語が苦手な方は、小学生ぐらいの子どもが英語を話していると、「きれいな英語を話している」と、とても感動されます。あるいは、帰国子女が、日常会話でもふと英語を言ったりして発音がきれいだと、「わあ、すごい」というふうになる。

それが、英語ができるということだと思われて、自分もそうなりたいと考える方も多いのではないかと思います。

でも、私たちのような研究の分野では、まったくそうではありません。発音は、言っていることがわからないレベルでは困りますが、あまり重要ではなく、むしろ、**日本人のなまりがあっても、的確に伝えることができる、そこがほぼすべてです。**発音はわかればいい。ですからネイティブのような発音ができない、あるいは外国人特有のなまりがあったり、立て板に水のごとく流暢に話せないために、英語ができないと思われる研究者はいないですね。

もちろん、アナウンサーのような職業ですと、発音は大事です。例えばカナダの人の英語は少し特徴があるらしくて、カナダ出身のアナウンサーが揶揄されたりすることもあります。では、ニューヨークの英語の発音なら標準かといえば、そんなことはありません。標準のアメリカ英語は、シカゴあたりの中西部の英語ではないでしょうか。

さらに言うと、流暢に話せれば、英語ができるというのも違うと思います。日本語でも立て板に水のごとく、よどみなく話す人もいれば、ポツポツとことばを選びながら話す人もいます。

ことばが「できる」「できない」とは

為末　最近、失語症の本を読んだのですが、失語症の方もそうですよね。失語症と一言で言っても、いろいろな階層があるそうで、自分が思ったことと違うことばが出てきてしまって、それに気づいて恥ずかしくなる人や、そのことに気づかない人、意味がわかるけれどことばが出てこない人などがいるということでした。
今井　失語症は脳の損傷によるものなので、脳のどの部位が損傷しているかによって、症状が全然違ってくるのです。非常に狭い範囲、例えば後頭部の視覚野に近いところでは、文は普通に言えるのに、ものの名前だけが言えなくなってしまうとか、あるいは前頭葉に近いところの損傷では、ことばはどんどん出てくるけれど、単語をただ並べるだけになってしまい、文として成立しない発話になってしまったり。そうした脳の損傷からくる状態も、「ことばができない」と言うのか……。

つまり、何をもって、ことばができると言うのかを、まず考えなくてはいけないということです。そこを飛ばして、外国語をできるようになるにはどうしたらよいかというのは、あまり意味のない問いだと思います。

意外と気づかないコモングラウンド

今井　それから、同じことばを話していても、コモングラウンド（common ground, 共有認識）が違うと伝わらないということもありますよね。

コモングラウンドというのはある単語を言ったり聞いたりした時に同じ対象、同じ意味を思い浮かべることができたり、同じ文を言ったり聞いたりした時に同じシチュエーションをイメージできるかという認識の共通の枠組みです。

言語というのは、共通認識があることを前提としてコミュニケーションをするのですが、実は、そのコモングラウンドが成り立たないことはけっこうたくさんあります。お互いに経験がすごく違いすぎていたり、相手の経験を考えず、自分の頭にあることは相手もわかるはずみたいな思い込みがあったり……。

為末　そこで伝わっているはずと思って、修正をはからない。

今井　そうそう。だから、スポーツでも感覚が共有できている時には、先ほど為末さんがおっしゃった「またぐ」「跳び越える」「すり抜ける」のような細かい使いわけがピンとくると思うのですが、初めてスポーツする人にも同じように伝わります？

為末　微妙な感じがしますね。通じる人もいれば通じない人も。おおむね伝わる気はしますが……。

今井　実は私には全然通じなかった（笑）。ハードルはたぶん高校の体育で一回やったくらいで、引っかからずに跳べたかどうかも覚えてないくらい。跳び箱も苦手だったから。意味は分析できても、わかるかと聞かれたらたぶんわからない。

為末　なるほど、普通の会話でもこういうことが多いのでしょうね。

今井　そうなんです。でも逆に、コモングラウンドがあると、すぐにすり合わせが可能になるということもありますよ。

ことばの多義性に対処する

為末　コーチと選手が長く歴史を共にすると、２人の間で共通のイメージをもてる単語ができることがあります。例えば、昔チャレンジした試合でうまくいかなかったことがあったとして、その地名がシドニーだとすると、コーチが選手に、「お前、もう一度、シドニーみたいになるつもりか」と言った時、２人の間ではとても強く意味が通じるというようなことがあります。

僕がすごいなと思うのは、人間は、そのように**異なるシチュエーションにおいて、「ここでこの単語が出たのは、こういう意味だろう」と、その都度、受け取り方を変えることができる**ところです。

今井　それはすごいことですよね。人間と動物の認知で、いちばん異なるのは認知の柔軟性だと思います。**「この文脈ならこの意味だけれど、別の文脈ではまた別の意味になる」と、理解を変えることができる**、それが言語でもあるわけです。

ことばというのは非常に多義で、複数の意味をもちます。なぜ、これほど多義なのかというと、そうでなければ、あまりに細かくたくさんのことばをつくることになり、それらをすべて覚えて使うというのは情報処理の負荷がとても高くなってしまうから。ある程度、使いまわしたほうが便利なので、多義にできているということはあるでしょう。

でも、その多義性にどう対処するか、つまり、文脈によって、どこまで柔軟に意味を変えられるかは個人差があります。一般的に小さい子どもはこれが苦手で、読解力にも大きく影響します。小学生になると、さまざまなところに影響してきますね。

為末　本を読んでいても、解釈が難しい局面が出てきますよね。比喩的な表現とか単語とか、それがわからないと、その先の意味がわからないということもあるでしょう。

今井　そうなのです。自分の知っている、非常にピンポイントの意味で使われていないと、無理やりねじまげて受け止めてしまったり、勘違いどころかそこで止まってしまったり……。子どもの発話には、そういうエピソードがたくさん見られます。

先にもふれた「ゆる言語学ラジオ」というYouTube番組の中で、子どもの面白い言い間違いやことばの意味の勘違いを募集しています。その中に、多義語の意味の取り違えのエピソードがいくつもあります。

例えば、中華料理店に家族で行って、子どもは焼きそばが食べたかったのに、お店の人が「今日は麺が切れているのでやきそばはできないんですよ」と言ったら、子どもは「切れているおそばでもいいから焼きそばがいい」と言い張ったというお話がありました。

お店の人は「麺がない」と伝えたのに、子どもは「短く切られてしまっている麺」と解釈したのですね。

先にも挙げましたが、「切る」はとてもたくさんの意味をもっています。野菜を包丁で切ったり、紙をはさみで切ったりするだけでなく、洗った野菜の水を切ったり、味噌が切れていたり、賞味期限が切れていたり。このように文脈によって変わる意味を覚えていくのは子どもにとって大変なことであると同時に、認知の柔軟性を訓練するとてもよい機会にもなっているのですよ。

母語では柔軟に文脈に対応できていても、外国語ではできていないということもよくあって、中学生や高校生の英文和訳でとんでもない訳をしてしまうこともあります。自分が訳した日本語を読めば、意味がまったくとおらないということが一目瞭然なのに、それになかなか気づけません。

文章を頭の中で立体的に描く能力

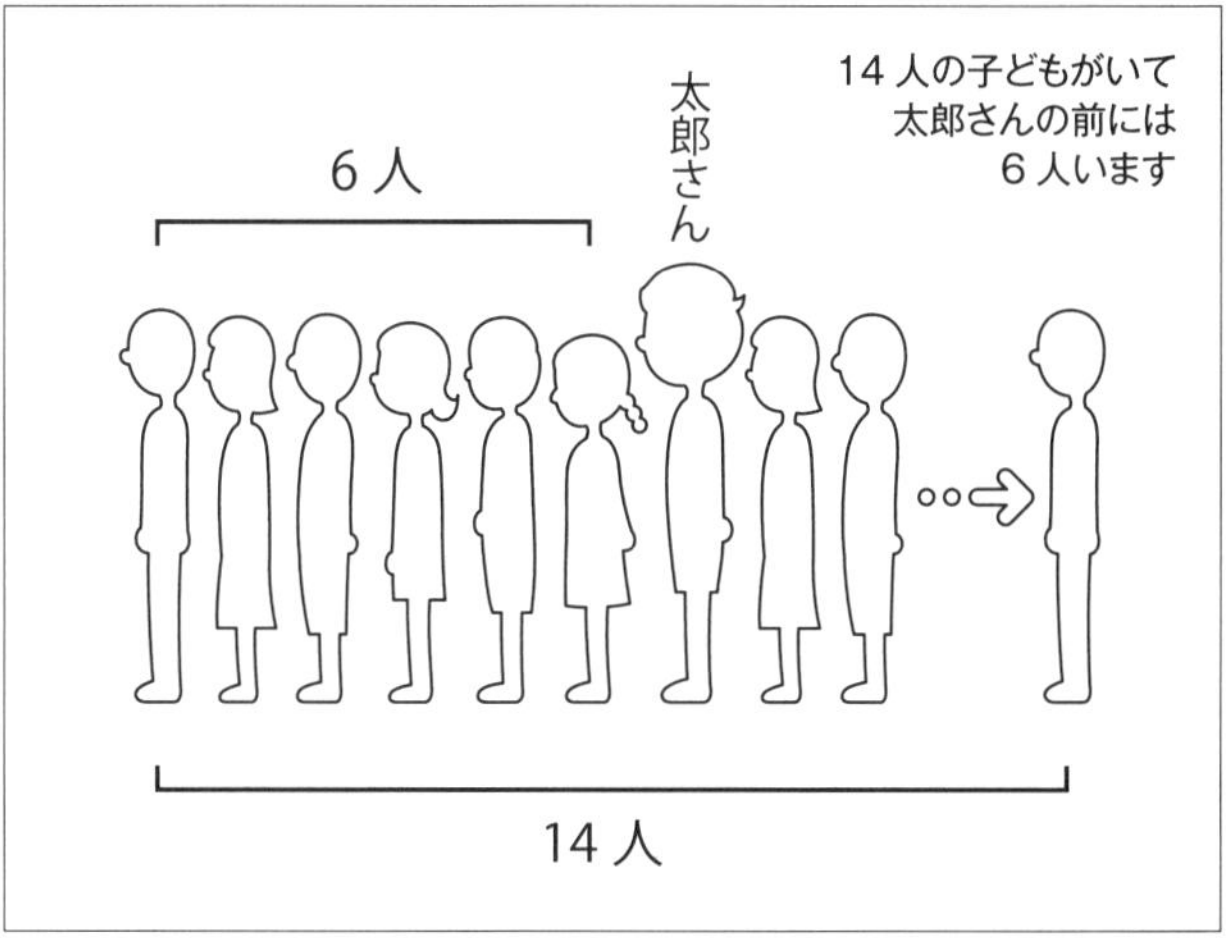

為末　高校生のテストを見せてもらったことがあるのですが、文章を読んだ時、出題された問題に回答できるかは、その文章の内容をどれだけ立体的に頭の中で描けるかということと、密接な関係がある感じがしました。

今井　まさにそのとおりです！　それはとても重要なことなのですが、実は、私が小学校の3、4、5年生を対象に行った文章題のテストで、これがほとんどできていなかったということがありました。これについては、『算数文章題が解けない子どもたち──ことば・思考の力と学力不振』（岩波書店）で詳しく書いたのですが、そのテストではすべて教科書に載っている内容について、数字や固有名詞を少し変えた程度の基本中の基本の問題しか出しませんでした。中には小学校1年生の問題も入っていました。

でも例えば、「14人の子どもがいて、太郎さんの前には6人います。太郎さんの後ろには何人いますか？」という問題は、5年生でも間違える子がかなりいました。

為末 それは、太郎さんを入れないで計算してしまうというパターン？

今井 そうです。多くの子どもは、いきなり14から6を引き算してしまい、太郎さんがどこかに行ってしまう。

そこで何ができていないのかというと、出題された状況を心に描いて、「だからこの部分を聞かれているのだな」と推測することをしないのです。状況を心の中で組み立てたイメージ、これをメンタルモデルというのですが、そのメンタルモデルがつくれていないということなのです。

文章を読んでわかる、理解するということは、結局、このメンタルモデルをつくるということで、それができない子どもが非常に多いのだと思います。

為末 なるほど。そう聞くとこのメンタルモデルというのは非常に重要な感じがします。

今井 ものすごく重要です。引き算と足し算を混同しているとか、掛け算と分数を間違えている、あるいは繰り上がりができないという算数の根本的な問題は、そのシチュエーションに対して心の中でイメージをつくることができない、あるいはしようとしないということが大きいのです。これは日常生活でも、あるいは仕事やサッカーの試合でも同じだと思います。今、起こっている状況に対してメンタルモデルがつくれないと、適切な対処ができません。

メンタルモデルとは

為末　メンタルモデルについて、もう少し詳しくうかがっていきたいと思います。そもそもメンタルモデルとは何でしょうか。

今井　メンタルモデルは非常に難しい用語です。専門的には、「表象」ということばを使います。私がメンタルモデルと言ったのは、状況を適切に抽象化してイメージできるということです。

例えば「全部で14人いて、太郎さんの前には6人、太郎さんの後ろには何人いますか?」と聞かれた時、引き算の式を立てるためには、問題に書かれていない数字を入れなくてはいけません。

問題にはない数字を、自分で行間を埋めて探すというのは、実はとても難しいことなのです。その状況をイメージできない、つまりメンタルモデルがないと、14引く6という計算をしてしまう。

「メンタルモデル＝行間を埋める」ではないけれど、メンタルモデルをつくるためには、多くの場合、行間を自分で埋めることができないといけません。そこが得意な子と、苦手な子がいて、小学5年生でこの問題が解けない子どもは、この部分ができていないことが多いです。

読解力がないと言ってしまえばそれまでですが、読解力はとても複雑な要素から成り立っています。そもそも語彙自体が少ない場合、わからないことばが多くて読めないということもありますし、それだけでなく、行間を埋める力がなくて、メンタルモデルがつくれないから読めないということもあります。それらはきれいに切り離すことはできなくて、たいていお互いに問題が絡みあった状態です。

語彙がない子どもはあまり読む訓練もしていないことが多いです。行間を埋めることができるというのは、どのくらい読む訓練をしているか、どれだけ本を読んで考えているかということにもかかわります。

読書とメンタルモデルの関係

為末　そうすると、本を読んでいる子どもは、メンタルモデルがつくれるということになりますか？

今井　本をまったく読まない子どもに比べたらつくりやすくなるとは言えますね。

ただ、「読めること」というのは、本を読んだら自動的にその状況が理解できるようになることというわけではありません。本を読めるようになることの価値は、ひとつの次元に落とし込めるものではなく、本当に**たくさんの次元で、本を読む効果がある**のです。

そのひとつが、2章でお話しした推論です。

本の中には非常に豊かな文脈があります。わくわくするような文脈もあれば、面白くて興味をもてるような文脈もあるでしょう。その中で、知らないことばが出てくれば、「これはこういう意味かな？」と推論します。

この推論するということが大切で、**読書というのは、この推論によって、書かれていることを自分なりに心の中で再構築する作業**であるともいえます。

先ほどの14人の子どもが並んでいる算数の問題で、心の中で14人が並んでいて、太郎さんが列のどこにいるのかな、前に6人いるのだから前から7番目だなと考える。問題には書かれていない太郎さんの位置を自分で考えて、メンタルモデルの子どもの並びの中に印をつける。そして14人の並びの残り（太郎さんの後ろ）に何人いるかをイメージして数える。これが、メンタルモデルをつくるということです。そこで行っているのは、まさに「行間を埋める」ことであり、立派な推論なのです。

ただ、そのためにはもちろん、先ほどお話ししたように、語彙も必要です。**語彙が増えるというのは、読書のいちばんわかりやすい、目に見える効果です。**

為末　語彙が増えると、「むかつく」としか言えなかったことも、もっといろいろ表現できそうです。

64の前は65

今井　そのとおりです。**語彙が増えて何がよいかというと、的確にものを言えるようになるということです。**それから、**物事を振り返ることができるようになる。**感情のことばが「ラッキー」と「むかつく」しかないと、自分の感情を振り返ることができなくて、つい手が出てしまうというのが典型的なパターンです。そうならないようにするためにも、豊かな語彙をもつことは重要です。

この時大事なことは、「豊かな語彙」というのが、必ずしも、単に辞書に書いてあるようないちばん典型的な使い方を知っているだけの単語がたくさんある、ということではないということです。

「子どもが14人並んでいる文章題」では「前」ということばが使われていますね。このことばは実は曲者です。

「前」ということばを文脈で正しく理解するためには、自分の枠組みではなく、問題の出題者が「前」と「後ろ」についてどのようなメンタルモデルをもっているかを推論する必要があります。自分のメンタルモデルと出題者のメンタルモデルが食い違うことがあり、そうすると、答えは間違ってしまうのです。

この間、「前」のメンタルモデルの食い違いによって起きた興味深いエピソードを知りました。算数のドリルをやっていた子どもが、「64の前の数字は何ですか？」という問題に、「65」と書いていた、というものです。大人なら63と答えるのが当たり前ですが、それはことばの使い方の慣習を知っているからにすぎません。

子どもは「前」と言われても、何を基準に前と言っているかわからないと正しく答えられないのです。

為末　65と答えた子どもはどういうイメージだったのでしょうか？

今井　その子は数字が小さいほうから大きいほうに向かって並んでいるイメージをもっていました。そうすると子どもにとって進行方向、すなわち大きい数字のほうが前というイメージになります

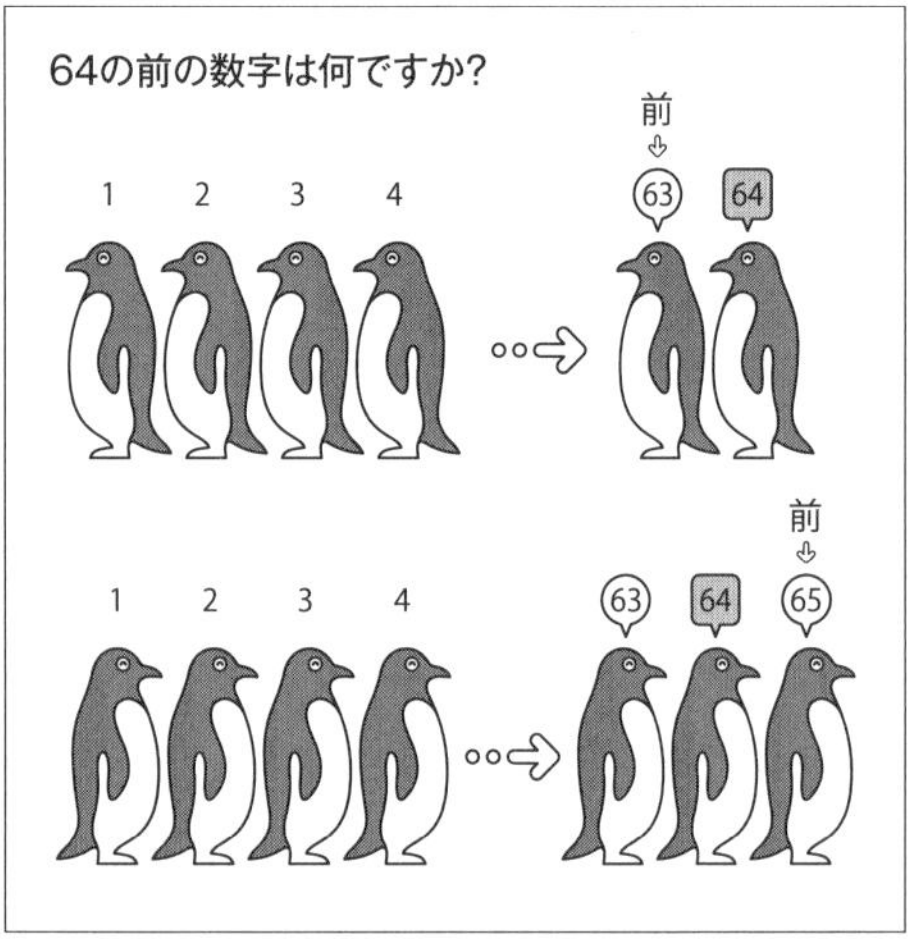

　こうしたことばは子どもにとって本当に難しく、小学1年生はカレンダーの1週間前と1週間後ということばにも混乱します。実際、ことばは時にはとても意地悪です。**私たちは直感的に、未来は前にあると思います。**「未来に向かって前進しよう」「過去は振り返らない」などと言いますよね。

　その一方で、1週間前というのは逆方向の過去のことなのです。ですから、その文脈で

は前をどのように定義するかという規範を知らないと使えないわけですが、それは教えてもらえません。

日常的に使う言葉が意外と難しい

為末　今の話で思い出したのですが、以前、全盲のパラリンピックの選手に指導した時、「もう少し前に腕を振ってください」と言ったら、「何に対しての前ですか」と言われたことがありました。つまり、胴体に対しての前なのか、コースに対して前なのかとか、そういう情報が必要になるということです。これも先ほどのお話と通じるものがありそうです。

今井　はい。でもそれは、全盲の方でなくても、誰にでも共通して存在する問題ではないでしょうか。

私たち大人は、ある程度、慣習による規範が染みついてしまっているので、ほかの規範があるということをあまり意識できないのですが、子どもたちは常に混乱しています。前や後ろということばは日常的に使うので、やさしいと思うかもしれませんが、実は日常的に使うこれらのことばはとても難しいのです。

為末　言語外にある無意識の規範といいますか、みんなに共通している認識のようなものがあって、それがこういうことかなと予想がつくようになると、ことばの奥にある意味を推測できるようになるという感じでしょうか。

今井 そうですね。ですから、先ほどの「豊かな語彙」も単に「なんとなく知っていることばの数」が多いということではなく、「きちんと文脈に合わせたメンタルモデルをつくれる、意味を理解をしていることばをたくさんもっている」と考えたほうがよいと思います。

為末 それはなんでしょう？

でも本当は、語彙や推論の前に、もっと大切なことがあります。

「読む」ということはいかにすごいことか

今井 メアリアン・ウルフの『プルーストとイカ―読書は脳をどのように変えるのか？』（小松淳子訳 インターシフト）という本をご存じですか？ この本では、本を読むというのはいわば氷山の一角にすぎなくて、本を読めるようになるには、氷山の見えない部分に非常に豊かなたくさんのレイヤーが必要だということが書かれています。読書がどれだけ多層的なものかということを、膨大な研究をもとに、脳科学の観点から紐解いていて、分厚いですが、読みやすくてとても面白い本です。

この本を読むと、読めるというのが、いかにすごいかということがわかります。ことばが話せるということもすごいことなのですが、私たちの先人が、私たちが話すことばを文字にして、何千年も残しておけるような工夫をしてきました。文字を解読する、つまりデコードするプロセスにも、いろいろ複雑なメカニズムがあります。

為末　複雑なメカニズムというのは？

今井　**まず視覚をとおして、文字を画像として認識するところからはじまります。続いて文字を音に変換し、さらにそれらを組み合わせて、単語として認識する**わけです。

このプロセスだけでも非常に複雑ですが、単語を認識しただけでは読むことはできません。**文の構文を分析して、文章の意味を読み取っていきます。**

こう書くと、単語や構文の認識は脳の問題のように思えますが、**実はそれを支えているのは、眼球の運動**であったりするわけです。この眼球の運動には小脳がかかわっています。小脳は運動を制御する大事な役割を果たしています。実は読書には眼球の運動制御がとても大事なので小脳がかかわる運動制御が読書に深く関係しています。

読書には本来こうした身体につながった部分がとても重要なのですが、そのことが一般には十分に理解されていないようです。

文部科学省の指導要領でも読解力ということが言われています。確かにそのとおりなのですが、読解力というのは、文字という記号の意味を読み取るプロセスだけを指すわけではなく、その背後にある「文字列をデコード、つまり解読していって、文字から単語、文、文章の意味を構築していく一連のプロセス」がすべて大切なのです。言ってみれば、**人間は身体がなければ読書ができない**のです。

為末　言われてみると、文字の形を見て、意味を捉え、それを頭の中で自動変換してイメージをもつというのは、進化のプロセスでも、ある意味、不自然なことですよね？

読書という氷山の下にあるもの

今井　そう、すごく不自然なことなのです。

ですから、小学校の国語の授業で行われている、「ごんぎつね」を読む時の登場人物の気持ちや状況などの読み取り訓練は、氷山でいうと海面から頭が出ているごく一部分にすぎないのです。

よい読み手になるには、その氷山から頭を出している部分を下階層でがっちり支える必要があります。下階層というのは、**目の動きを中心とした運動制御や単語へのアクセス、つまり書かれている文字の中から知っている単語を認識し、脳にアクセスして語彙を引っ張ってきて、書かれていることを再構築するという情報処理をシームレスに行う**ことです。

それらの無意識で自動的に行っている認知機能がスムーズに、自動的にできてはじめて、論理的解釈や、主人公の気持ちを読み取るなどの上位の階層にたどりつけるわけです。そしてそのためには、できるだけ氷山の下を豊かで堅固なものにして、自動的にすぐに使えるような状態にしなくてはなりません。

そうした訓練をするという意味でも、読書は非常に重要で、本を読む習慣はとても必要なことなのです。

為末　なるほど読書習慣ですね。

今井　そうです。それができない子どもは、実は国語だけでなく、算数もできません。

先ほどの「14人の子どもがいて、太郎さんの前に6人います。太郎さんの後ろに何人いますか？」という算数の文章題などもまさにそうです。1、2年生でやるような算数の学習内容ですが、5年生でも3分の1ぐらいの生徒は解けない。式を立てたら、14引く6だから、答えに8と書いてしまう。

この問題を読み解けず、メンタルモデルをつくれない子どもは、氷山の下の部分が薄っぺらく、ぐらついています。砂地のようなところに卵を乗せ、さらにその上にガラス板を置いているような状態で文章を読んでいるようなものなのかもしれません。

子ども時代の読み聞かせは親からの最大のプレゼント

為末　そういう意味でも本を読むことが大事？
今井　いちばんいいのは、小さい頃からの読書ですよね。幼児期の読み聞かせは子どもの読解力を育てるもっとも大事な一歩となります。
為末　音と文字の両方で入ってくるのがいいのでしょうか。
今井　文字を音にして単語を認識することがスラスラできず、つまずいてしまう子どもがたくさんいます。**だから子どもがひとりで読む前に、大人が音読してあげるといい。**それは、先ほど述べた、文字をデコードすることの支援になります。
認知科学の観点から読書について言うと、そこはとても大事なことなのですが、おそらく、これを理解している人は学校の先生でもあまりいないかもしれません。

お子さんには、ぜひ、本を音読してあげるといいですよ。

為末　どういう本を読んであげるといいのでしょうか？

今井　子どもが自分で読みたがったら読める本を読んであげるのが基本です。強制は絶対しないほうがいいです。

それよりは、いちばん大事なのは、子どもが本を好きになるように、たくさん音読をしてあげること。それがあるかないかで、**子どもの一生はものすごく大きく変わる**と思う。本を読んであげることは、親が子どもにできる最大のプレゼントですね。

為末　そう思って、うちの子には読み聞かせをしたのですが、本を読まないと寝なくなって、それはそれで、けっこう大変でした。でも、**自分で読めるようになるまでのスピードが一瞬でした。**

「これだけ学べばあとは自分で応用できる」を学ぶ

為末　ところで先ほど、メンタルモデルのお話がありましたが、**メンタルモデルと知的能力は同じなのでしょうか。**

今井　知的能力はメンタルモデルと非常に関係が深いものありますが、同じということではなく、**知的能力の中にメンタルモデルをつくる能力が含まれる**と考えたほうがよいでしょう。ある事に熟達するということは、メンタルモデルをどんどん精緻なものにしていくことだというふうに考えることもできます。

この場合は、メンタルモデルと言うより、表象と言ったほうがいいかもしれません。私は、表象とメンタルモデルをほぼ同じような意味で使っていますが、メンタルモデルのほうがややゆるくて、その状況のイメージに近いです。一方、表象とは、それがあることによって、状況を理解することができ、また、その状況で最適な行動をとることができる。つまり、過去の体験が抽象化され、取り出し可能な状態になっているということです。

以前、私が主催する認知科学のコミュニティ「ABLE（Agents for Bridging Learning research and Educational practice）」で、講演していただいたフロリダ州立大学のK・アンダース・エリクソン教授は、芸術やスポーツ、チェスなどのメンタルスポーツ、あるいは医学など幅広い分野で、熟達者とは何か、本当の達人とは何かを科学的に追及していた方です。そのエリクソン先生のキーワードがリプリゼンテーション、つまり表象でした。

熟達した達人の表象は、非常に柔軟で、多層的かつ多面的で豊かなものです。だからこそ、状況が異なっても同じように対応することができる。

スポーツの世界でも、練習や試合が「同じ状況」ということはありませんよね。

為末　そうですね。

今井　同じ状況というのはなくて、ただ、その中でセオリー的に誰でもわかるような状況と、セオリーを超えるような新しい状況があるわけです。セオリー的な状況は、ある程度トレーニングを受けて教われば対応できるようになるでしょう。しかし、本当のプロの仕事というのは、それではすみません。

将棋などもそうですけれど、セオリーを超えて次の一手を打てるというのは、よい表象があるからです。つまり、**過去の経験から、状況によって最適な解をいつでも引き出せる状態になっている。それがよい表象というもの**です。メンタルモデルもそれに近く、私はだいたい同じような意味で使っています。このような「よい表象」をもつ知識が「生きた知識」です。

先ほどの太郎さんの問題はそこまでハイレベルな話ではありませんが、文章題に書いてある数字をあてはめるのではなく、そこから書いていないことを抽出するには、やはり適切なメンタルモデルをつくる能力が必要です。

私が**学校教育でぜひ目指していただきたいのは、「これだけ学べばあとは自分で応用で**

きる、そして自分で新たな知識をどんどんつくっていける」という力、つまり、子どもが自分で文脈に即した適切なメンタルモデルをつくることができる力を育てることなのです。もちろん、分数の計算の仕方も知らないと困るのですが、本当に子どもに知ってほしいのは、計算方法より、分数という数の概念です。それは分数に限ったことではなく、もっと抽象的に、そもそも数の概念とはどういうものなのか、そうした感覚と、それに対して的確なメンタルモデルをもって、その先は自分で学んでいけるという基礎をつくってほしいと思います。

実は、私はそのために、子どもがことばや数についてどういう概念をもっているのかを調べるテストを開発しました。「たつじんテスト」と呼んでいます。この「たつじんテスト」からわかったことを『算数文章題が解けない子どもたち』にまとめたので、お読みいただけるとうれしいです。

いつ、どのレベルで最適化するか

為末　今の話で思ったのですが、僕らの世界では、「最適化をいつ、どのレベルですべきか」という問題があります。

最近、小学生の柔道の全国大会を廃止することがニュースになりました。理由を聞くと小学生の頃は子どもたちの技術もそれほど高くなく、成長にもばらつきがあるので、力の強い子どもが強引に技をかけてもそれなりに有効なのだそうです。だから、小学生で勝とうと思うと力でねじ伏せる戦い方が選ばれやすい。

でも、成長してくるとみんな力がついて似通ってきます。そうなると技術の差が重要になるのですが、子どもの頃に力でねじ伏せる方法が癖になって身についている人は技術が未熟なのでそこから伸びなくなってしまう。これを早すぎる最適化と呼んでいます。

だから子どもの時に競争を激しくしすぎないことで、力に頼らず技術の基礎を身につけさせ、将来伸び続けられるようにすることが目的のひとつなのだそうです。

先ほど今井先生がおっしゃったメンタルモデルというのは、**ある場面にフィットしつつ、一方で、異なる場面では、もとの場面で得た学びの抽象度を上げて応用可能なものにして、異なる場面に適応させていく**というイメージで捉えたのですが、おおむね合っていますか？

今井　はい、すごく的確だと思います。現状で今勝てるということと、子どもが将来伸びるということは、必ずしも同じ線上にはないと思うので、指導する時、今のチーム、今のその子を勝たせるというストラテジーだけでいってしまうと、問題が起きることがありますね。そこを、保護者の方にはご理解いただきたいと思っています。

為末　なるほど。

では次章では熟達ついて、もう少しうかがっていきたいと思います。

4章　熟達とは

為末［考］ 運動神経の正体

技術の習得と修正能力

選手にとって、「できる」ことと、「できている自分を離れた視点から眺められる」ことの間には大きな差があり、トップアスリートでも、動いている自分の姿を眺めることができない人がいます。要するにできていてもわからないことがあるし、わからなくてもできるということです。

客観的に動きを眺めるというのは、これまでお話ししてきたように、連続する動きの中で、ある点を捕まえて言語化するというプロセスが必要となるのですが、それができるには別の能力が必要になります。

巧みに身体を動かす人を見て、運動神経がいいと言います。

では、**運動神経の正体はなんでしょうか。僕は、修正能力の高さだと思います。**

人が技術を習得する時、こうしたいというモデルを頭の中で描き、実際にやってみて、そのズレを認識し、修正してまた試してみる。この繰り返しを行っています。

運動神経がいい人は、やってみたあとのズレの認識と、そのズレを修正する能力が高く、何度かやるとすぐやりたい動きに近づけるのだと思います。例えば指先だけの操作であれば、ターゲットからずれた時、「もう少し右にしよう」などと合わせることができますが、全身の場合、身体の操作は格段に難しくなります。

熟練者ほど緊張と弛緩の差が大きい

スポーツの世界では、この修正能力は熟達に大きくかかわります。例えば、陸上の場合、熟達すると着地の瞬間に、着地の圧を変えることができるようになり、それによって歩幅を調整することができるようになります。

人間の筋肉は伸びて縮むゴムのようなものです。力を入れた状態で足に体重をかけると硬いゴムのように、いったんたわんでそれから反発します。靴の裏にバネを仕込むと身体が弾みますが、私たちの足にもそんなバネが潜んでいるとイメージしてください。

走りはじめた時は、そもそもどうやって力を入れていいかわからないので、身体がくねくねすることが多いです。子どもの走り方はそうなっていますね。次に力が入るようになるのですが、今度は地面を蹴って前に進もうという意識が強く、足を能動的に使って走るようになります。

でもこの状態では、だんだん早く足が回転しはじめると、蹴る動作が間にあわなくなってきます。バスケットボールのドリブルを素早く行おうとすると、手を上下に大きく能動的に動かすよりは、むしろ手をあまり動かさず受け止めて「ポンッ」と少し押し返してあげるほうがうまくいきます。これと同じように早く足を回そうとすると、いちいち地面を大きく蹴るよりも、着地の瞬間に足に力を入れてゴムのようにして、弾んでいくほうがうまくいきます。

そのうちに地面につく直前に力を入れてジャンプしたあとは、力を抜いて自然に前に足が戻ってくることを目指すようになります。この地面につく前に一瞬力を入れるところがわかってくると、「待つ」感覚が出てくるようになります。

これはほかの競技でも同じで、この「待つ」という感覚がもてるようになると、急にプレイが変わります。要するに力が抜けるようになりながら、大事な時にはしっかり力が入る、その準備として「待ち」があるのです。

研究では、実際の筋電を測定すると、熟達した選手は地面につく直前に緊張が現れます。熟達者ほど弛緩と緊張の落差が大きいのです。

アスリートは力の入れ加減で歩幅も変えられる

なぜ「地面を待つ」必要があるかというと、ひとつには、常に力を入れた状態よりも弛緩したほうが早く身体を動かせることとエネルギーを無駄使いしなくてすむからです。

腕に力を入れて左右に素早く振るのと、力を抜いて素早く振るのでは後者のほうが早く振れることを実感すると思います。

さらに、ずっと力を入れているよりもその瞬間だけ力を入れるほうがより強く力を発揮できます。10秒間力を入れているのと、1秒だけ入れるのでは、やはり後者のほうが大きな力が出ます。そして次第に、地面についている一瞬だけ力を入れれば十分になり、リラックスしているのだけれど力強く前に進むようになります。

最初は少し空気が抜けたバランスボールのように、ベタベタ走っていたのが、空気がパンパンに入ったサッカーボールのようにポンポン弾むようになり、さらにトップスプリンターになるとゴルフボールがコンクリートで弾むようなコンコンという弾み方をするようになります。

一度覚えると、その後、忘れることはありません。ただ、筋肉と腱は、年齢とともに劣化していくので、40歳すぎてもその動きをしていると、アキレス腱を切ったりしてしまい、とても危ないです。

さらに上の熟達者は、着地の瞬間に圧を変えることができるようになります。ボールの中の空気圧を一瞬で変えられるようなものです。これができるようになると、歩幅の調整ができるし、いきなり止まったり、走り出したりすることができます。ゴルフボールのように走っていながら、止まる時に空気が抜けたバランスボールのように止まるなどができるようになります。

シドニーオリンピックでのミス

僕は2000年に、初めて出場したシドニーオリンピックで、最後のハードルで転倒するという大きなミスをしてしまったのですが、この時、起きていたことは、調整の失敗でした。ハードル競技というのは、400メートルの場合、ハードルの間隔が35メートルと決まっていて、我々はこの間を、歩数を決めて走ります。

陸上競技の会場は屋外なので、風が吹きます。例えば前から2メートルほどの風が吹いていると、歩幅は1、2センチメートル縮むため、通常は、少し歩幅を広げようなどと調整をするのですが、2000年のシドニーオリンピックの時は、**緊張でわけがわからなくなって、ハードルと自分の関係すら見えなくなってしまった**ことが、敗因になったと思っています。本当は、風に合わせて着地の際の力の入れ加減を変えて、歩幅を伸ばさなければならなかったのに、緊張してまるで風がないかのようにいつもどおりの力の入れ加減で走ってしまったのです。

ただ、足の力の入れ加減をコントロールすると言っても、直接的にそう考えているわけではありません。そもそも足のことを意識しすぎると過剰に意識が向かってうまくいかなくなることのほうが多いです。そのような時、**足の力加減が自然と変わるように外的環境をイメージします。**たとえば地面が硬いコンクリートのようなイメージで走れば、一瞬で力が入りますが、芝生の上だと思うと、少し沈み込むことを身体が勝手に予想して、もう少し緩やかに力が入ります。

また、足を前に出すために腕を引くことを意識したりもします。**身体はすべて関係しあっているので、起こしたい動きを間接的に狙ったほうがうまくいくこともある**わけです。身体の使い方がうまい人というのは、今までの経験からどこに意識を置くと、どのように身体が動くかというつながりをたくさん知っていて、それによって身体を操っていくことができます。

為末【問】**熟達するというのは、調整力が高いということではないか**

前章で、今井先生がおっしゃったメンタルモデルについて、ある場面にフィットしつつ、一方で、異なる場面では、もとの場面で学んだメンタルイメージの抽象度を上げて応用可能なものにして、異なる場面に適応させていくというイメージで捉えました。

陸上、水泳、体操はいつも同じようなことができるのがよいとされているスポーツですが、「いつも同じ」というのがどういうことかというと、それは、**毎回異なる状況に対して、同じ結果を出せる**ということではないかという気がしています。つまり状況への対応能力、調整力が高いということが、熟達したということではないでしょうか。

今井【解】**アウトプットに合わせた微調整**

繰り返しの精度

今井　為末さんの理解とご質問は、とても的確だと思います。実は運動会の玉入れで、精度を上げるためには、本番と同じ場所、同じ距離で投げ続けるだけの練習はあまり効果がないそうです。むしろ、いろいろな距離から繰り返し練習したほうが、本番の時の精度が上がるという研究報告があります。それと同じだと思いました。

実際、現実では、いつもまったく同じ状況というのはないわけです。もし、同じことしかしていないと、その変化についていけません。

為末　柔軟性ということでしょうか。

今井　そうですね。特にスポーツではそういう面が大きいのではないでしょうか。

例えば、バスケットボールには、このエリアからシュートが決まると3点の得点になるというルールがありますね。直感的には、3点取れるところから繰り返し練習したほうがよさそうですが、実はそうではないそうです。運動会の玉入れ同様、むしろ、いろいろなところから入れる練習をしたほうが、効果が高いということがあると聞きました。

これはまさに今、為末さんがおっしゃっていたことではないでしょうか。

つまり、同じことを同じところだけで行う訓練をずっとしていると、それに特化してしまい、状況が変わった時に対応できなくなってしまいます。ですから、強い選手になるためには、いろいろな状況の中で、対応可能な抽象度のあるメンタルモデルをつくるというのが、非常に大切だと思います。

為末　今の繰り返しの精度ということで、野球のピッチャーの例を思い出しました。ピッチャーは最初のうち、球が手から離れる位置が、今回はあっち、次はこっちというふうに揺れて、同じところに投げることができません。これが熟達してくると、手の揺れが抑えられ、だいたい空間上の同じ場所で投げられるようになります。

ところが、さらに熟達すると、また手が揺れるようになり、そのかわりに、さらに**球の到達点がぴったり一致しはじめる**ということが、最近ＮＴＴコミュニケーション科学基礎研究所の柏野《かしの》（牧夫《まきお》）さんの研究でわかってきたそうです。

これはどうしてかというと、人間はバランスをとって立っているわけですが、常に同じ姿勢ではなく微妙に揺れているのだそうです。このため、毎回、必ず同じ状況で動き出すということがほぼありません。

筋肉の連動も、いつも同じということはなく少し揺らぎがあります。そのほんのわずかなズレのようなものを、たとえば、若干、右によっているなという場合は、手の位置を少し左にずらすというように、微調整しているわけです。

ですから、身体の動きということでいうと、毎回、必ず同じことをしようとする人は、逆に、最後の結果がぶれてしまう。それが、もっとうまくなると、動いている最中にいつもよりどのくらいズレているかを察知して、最後のアウトプットに合わせにいくような微調整が可能になります。それも、今井先生がおっしゃっているメンタルモデルということでしょうか。

メンタルモデルの柔軟性

今井　そのとおりですね。以前、テレビでうどんづくりの名人のドキュメンタリー番組を見た時に思ったのですが、うどんというのは究極的にシンプルで、原材料は水と小麦粉と塩しかないのですね。あとは、それをこねてうどんにする。ですから、機械でもかなりおいしいうどんができるわけです。
でも、そのうどんづくりの名人は、日々の気温や湿度を体感でわかって、同じ小麦粉の量に対して、水の量を変えるとか、塩加減を変えるというふうに、本当に微妙なチューニングをすることができる。まさに、為末さんがおっしゃったように、やること自体を変えるのではなく、**アウトプットが最高の出来になるよう、状況に合わせられる揺らぎをもてる**というのは、本当にすごいと思います。

ただひとつ、注意すべきは、予想ができるようになるということは、メンタルモデルが可能にすることのひとつであって、メンタルモデルとイコールではないということです。因果関係を理解するということは、物事の捉え方や理解にとって、非常に重要です。しかしかし、本当に優れた熟達者のメンタルモデルが、因果関係の理解だけに集約されるかというとそんなことはありません。**それはもっと豊かなものです。**

つまり、予測の精度が上がるということは、定点的にあるひとつのことについてのみ予測の精度が上がるということではなく、さまざまな状況においてよい予測ができるようになるということです。それだけ柔軟になれるということですね。

先ほど、野球の話が出ましたが、熟達するということは、投球マシーンで同じように投げられた球に対して、バッティングの精度が上がるということではありません。それこそ、カーブありフォークボールあり、いろいろな要素が加わった時に、それぞれの異なる状況でよい予測ができ、それらに対応できるということであり、それはまた、メンタルモデルがあるということ、さらにはよい表象をもっているということでもあると考えています。

野球選手はバドミントンもうまいか

為末　なるほど。実は、野球以外でも、バドミントン、テニスなど、飛んできたものを打ち返す必要があるスポーツでは、この打ち返すという動作をハンドアイコーディネーションというものが支えています。**目で観察している対象に手を合わせる能力**です。

対象と自分の手との両方を目で確認するのは、交互に見ることになるので到底できません。目で見ながら手は自動的に身体が制御し狙うべきところにもっていくことで、「打つ」ことができています。

このため、野球選手が、ハンドアイコーディネーションの能力が高くなると、同時にバドミントンもある程度うまくなるということが起きます。

それが、今井先生がおっしゃっていたメンタルモデルにも近い気がします。つまり、あるひとつのことに熟達し、このスピードでこうやって来たものは、こうすると合わせられるということを学習したあとは、さまざまなスピードで飛んでくるものに応用可能になっていく、そういう理解で合っていますか？

今井　かなりそうだと思います。ただ、プロの選手として、どのくらいのレベルを目指すかというと、また少し話が違ってきますね。プロスポーツの世界において、2つのスポーツで、同時にトップになったという話は、なかなか聞いたことがありません。たしか、マイケル・ジョーダンでしたでしょうか、バスケットの神様と言われた選手が野球選手を目指して、マイナーリーグに入った……。

為末　そうでしたね、でも結局、メジャーリーグには行けなかった。

今井　プロスポーツはそれだけ厳しい現実があるということだと思います。でも、これまで積み上げてきたものがある人が、別のジャンルで活躍するということはたくさんあると思うので、分野にもよるかもしれません。

例えば音楽の世界では、もともとピアニストやチェリストだった人が指揮をはじめて、超一流になるということがあります。

超一流の人がある分野で長期間の訓練を重ねることで得た卓越したスキルがどこまでほかの分野で応用可能なのかは難しい問題で、簡単に言えることではありません。ある分野で培った能力が、ほかの分野で活かせることはあるはずだと思います。たとえば勝負に対する勘などです。ただ、バスケットボールと野球だと、必要とされるスキルに距離がありすぎたのかもしれません。

私はスポーツは詳しくないので、間違っていたら指摘していただきたいのですが、バスケットボールは常に複数の相手が動的に動いています。野球は複数の人の動きを捉えるよりは、飛んでくるボールをどのように見極めて、球種やボールが向かってくるスピードからボールの位置を予測し、どこでバットをジャストミートさせるかという予測能力が必要なのではないでしょうか。

予測に必要な材料が違いすぎると、バスケットボールの経験で培った表象から転移できるものはあまり多くなくて、一から訓練をして新しい表象をつくり上げなければならない、しかしジョーダンはその時間を十分にかけることができなかったということかもしれません。

音楽家の場合、超一流のアーティストは、楽器を弾くためのスキルはいわば必要条件で、求められるのは曲の解釈とそれをどのように演奏に落とし込むかです。ピアノやチェロなどそれぞれの楽曲に対する大局観を養い、それをどのように演奏に反映させるかを身体で習得していれば、それを指揮に使うことはバスケットボールから野球に転向するよりは容易なのかもしれませんね。

ただ、幼少期からピアノの練習を積み重ねて超一流のピアニストになった人が、同じレベルの超一流のバイオリニストになれるかというと、難しい気がします。音楽の大局観は共通でも演奏に求められるスキルが違いすぎるので……。

ことばが記憶をつなぎとめる

今井　先ほど、アウトプットに合わせた微調整というお話がありましたが、熟達者というのは、普通の人には区別がつかないような、すごく細かい違いがわかります。

プロの料理人の料理はどれもとてもおいしいですが、中でも超一流のシェフは唯一のおいしさを求めてさまざまな工夫をし、微妙な味の違いをつくり出します。プロの音楽家の演奏はみんなを心地よくするものですが、その中で唯一の自分の音をつくり出せる人が世に認められる音楽家になるわけです。

私はそのような違いがどのようにしてわかるようになるか興味があって、一時期、**香道《こうどう》教室に通った**ことがあります。

為末　へえ、香道教室ですか！

今井　香道自体に興味があるというより、どうやって匂いを記憶につなぎとめて認識できるのかということに興味がありました。匂いの記憶は非常に脆弱で、すぐ水のように流れ去ってしまいます。特に香木はみんなよい匂いで、とても似ています。

３か月くらいのコースでしたので、結局、全然、聞き分けられるレベルには程遠いところで終わってしまいましたが、こ時、**記憶に留めるのはことば**だということを改めて思いました。

香木の違いを見極める時、共通点ではなく、異なるところを引き出してそれを言語化します。この時、AとBの違いはどういうところにあるかという対比のことばがとても大切で、**似た概念を対比して言語化すると、その概念を取り出しやすくなります。**

ただ、私の場合、言語化されてもそもそもボキャブラリーがわからない（笑）。それほど難しいことばを使っているわけではないのですが、ことばが身体に接地していないので、全然だめでした。10年くらい続けたら、少しはわかるようになったかもしれません。

為末　面白いですね。実はスポーツでも身体感覚は流れてしまい、客観的には覚えていません。でもその感覚を言語化できると保存されるといいますか、取り出し可能になるというイメージがあります。

まず、スポーツの場合、はじめにことばにできない体感をもちます。ある動きを実現し、

「こういうことだったのか！」と体感できると成長につながります。この時例えば、「熱したフライパンの上を歩く」などのことばがトリガーとなることがあります。**ことばはきっかけづくりとして使用されますが、技術習得の過程への影響はあまり大きくありません。**

でも、動きを習得してできるということと、わかるということはおそらく異なります。この章の冒頭でも述べたように、できるけれど、ことばでは説明できないという選手はいます。**選手にとって自分の動きをわかって、ことばで説明できるようになるということは、取り出し可能になるということ**ではないかという気がしています。

自分の行為を言語化して取り出し、客観的に眺めて、さまざまな関係性を見つけることができると応用可能になります。例えば走るということについて、それがどういうことかを言語化することで、いろいろな角度からの捉え方が可能になり、それによって、引退後の人生など異なる領域でも応用できるようになるというイメージです。あるいはコーチングのように他者への伝達も可能になります。

今井　それはアスリートに限らず、どの分野の熟達者にも言えることかもしれません。

達人と話をしていると、膨大な経験の固まりをカテゴリーにして、ある種のことばでラベルづけしている場合が多いような気がします。たくさんの経験をただ蓄積するだけでなく、それらが「取り出し可能」な状態になっていることは、熟達者の優れた勘と関係するのではないかという気がしています。

スポーツ選手は賢いか賢くないか

今井　熟達者の直感というのは、非常に豊かで、多面性と多層性のある表象をもっています。ですから、意思決定においても、ことばにはできない直感が働いたりします。

サッカーなどでもそうではないでしょうか。どこにパスを回すといったことは、熟考している時間はまったくなくて……。

為末　身体が先に動きますね。

今井　そうですよね。理屈よりも先に身体を動かさなければならない。でも、その身体は脳から切り離されて、独立して動くわけではなく、表象によって動いているわけです。

為末　確かに、僕たちにとって、慣れている領域では、ほとんど無意識という感じはしますね。それで思ったのですが、スポーツ選手への評価は、社会では大きく2つに分かれていて、「スポーツ選手は賢い」という表現と、「スポーツ選手は賢くない」という表現があります。

僕もその世界にいたのでよくわかるのですが、スポーツ選手の何について賢いと言われるかというと、とにかく、**短い時間に判断しなければいけないことほど、スポーツ選手は賢い**です。一方、**時間をかけて、正しい選択をすることにおいては、経験も不足しているために「賢くない」**ことも多い。引退して戸惑う選手が多いのは、社会の意思決定と、スポーツの現場の意思決定が異なるからだと思います。

スポーツの場合は、頭で考える瞬間が命取りになるので、それをなくすような訓練をしています。サッカーでも、「今だ」と思った瞬間に蹴る選手がいい選手です。湧き上がる直感を、自分の頭が「本当はどうなのだろう」とチェックすること自体、非常に邪魔なことなのです。かといって瞬時の判断が論理的ではないわけでもなく、**慣れている領域では恐ろしく正確な意思決定をコンマ1秒でできてしまいます。**

でもそれを社会の意思決定で行うと、本来、勘で決めるべきではないことも、勘で決めてしまうことになる。

意思決定とメンタルモデル

今井　為末さん、カーネマンの本を読みましたか？

為末　『ファスト&スロー──あなたの意思はどのように決まるか？』（ダニエル・カーネマン著　村井章子訳　ハヤカワ文庫NF）ですね、読みました。

今井　まさにあの本に、今、為末さんがおっしゃったようなことが書かれています。つまり、ファストシステムとスローシステムという2つの思考システムがあり、基本的にはスローシステムのほうが正しかろうというわけです。熟達していない人がファストシステムで思考をすると、火傷するという……。

為末　単なるコイントスの世界になってしまうということですね。

今井　そのとおりです。しかし、熟達者が、その熟達した分野で判断をする場合は、直感を優先したほうがよいと思います。ただ問題は、その分野において、果たしてどのくらい精度の高い表象をもっているか、ということですね。

人よりも非常に優れた表象をもっている領域での意思決定であれば、ファストシステムのほうがよい判断ができるということはあると思いますが、その領域は思いのほか狭く、往々にしてその範囲が少しずれたりするわけです。そこで、齟齬が生じて、一般的に非常に賢いと言われている人がヘマをしたりする。

いちばん理想的なのは、直感的な判断をして、それをゆっくりとスローシステムで検証するということなのでしょうが、世の中のほとんどのことは時間的に制約があります。

為末　そうすると、**自分がもっている表象の応用可能な範囲はどこまでで、どこから先はうまく機能しないかがわかる賢さも必要**だということですね。

今井　そのとおりです。私は、コーチがその役目を担うべきだろうと思っています。自分のことは、見えないことがたくさんありますし、過信しがちです。ですからコーチが第3の目となって、選手を評価するというのは、コーチの大事な役割ではないでしょうか。

コーチの役割

為末　コーチと呼ばれているものの範囲というのは、実は相当広いと思います。呼び方もいろいろで、スポーツの世界では、コーチ以外にも先生や指導者と呼ばれたり、監督と呼ばれることもあります。

その役割は、人によって異なるのですが、おおまかに分けるとおよそ4つのことを行っています。1つ目は「教える」つまり知識の提供ですね。その世界で確立されている知識もあれば、指導者コーチ本人が得てきた知見という場合もあると思います。

2つ目は「そのまま伝える」つまりフィードバックです。自分で自分の姿を見るということはどうしてもできないので、どう見えているかをコーチがフィードバックしてあげることで自分の姿を客観的に理解します。このフィードバックにはコーチの主観が入ってもいいし、そもそも主観を入れないことなんてできないのですが、しっかりとコーチ自身がここからは自分の意見なんだけどと伝える必要はありますね。

3つ目は「揺さぶる」です。本人が考えてそれを実現することの繰り返しでは、次第に本人の思い込みの中でぐるぐる回って出てこられなくなることがあるので、その場合コーチが揺さぶることで本人が新しい世界に踏み出すきっかけをつくることができます。

4つ目は「気づかせる」です。これがまさに今井先生がおっしゃったような内容で、客観的に俯瞰し「何ができて、何ができてないのか」を伝えるということになります。この4つ目まで踏み込める人はそう多くはありません。これに関しては、**本人ですら気づいていない視点に気づかせることができる点で、競技を超えたインパクトがあります。**

日本のコーチングでは1つ目の知識の提供と、3つ目の揺さぶりを多く使い、2つ目のそのまま伝えるはそんなに行わないですね。1つ目で技術的な知識を伝え、3つ目で揺さぶって人間性を育てようとするということかなと思っています。

為末がコーチをつけなかった理由

今井　なるほどね。そういえば、為末さんは、コーチをつけずに自分でやることにしたとおっしゃっていましたね。

為末　選手時代の後半はそうですね。18歳以降。

今井　コーチをつけなかったのは、コーチとの関係で、自分で考えたいのに、あんまり考えさせてもらえなかったというようなことがあったのでしょうか。

為末　もともと当時は、縦の関係が強くて、それが苦手だったということもあるのですが、自分で試してみたくなったんですね。陸上は単独で行う競技で、相手がいないので、そもそも自己探求的なところがあります。

ただ速く走ればいいのではなく、物体が速く動くとはどういうことか、自分を扱うとはどういうことかを理解したかったんですね。**仮説を立ててやってみて、結果とのギャップを検証**したいと思っていました。

今井　コーチがいるとそれができなかった？

為末　なんと言いますか、ゴールは似ていて、なるべくいちばん上まで行こうとか、できるだけ速くなろうということなのですが、そこに至るプロセスで重視するものは人それぞれ違っています。

例えば大きな違いを挙げると、スポーツの世界では、生理学的な要素を重視する人と、動作を重視する人がいます。生理学が好きな人は、食物の中の要素でパフォーマンスに影響するものに興味をもったり、血液を採取して練習後の疲労度を測定して、よりよい練習メニューづくりに活かしたりします。身体内部の成分に興味をもつわけです。

一方、動作が好きな人は、物理学にも似ていると思うのですが、地面をどのくらいの力で踏むと身体が前に進むか、膝の位置はどこが望ましいかなど、まさに動きのことを考えます。動作ですから、二足歩行ロボットを研究している人と話が合ったりします。

この2つの流派ではそれぞれ、練習の組み方が違います。思想の違いを端的に言い表すと、**「よい身体はよいパフォーマンスを生む」と「よい動きはよいパフォーマンスを生む」**です。前者は練習時の身体疲労など、内部の状態を測定した練習を行いますが、後者は身体の動きと本人の感覚を重視します。実際のところは0か100かではなく、グラデーションになっているのですが人によって重視する比率が少しずつ異なるわけです。

僕はどちらかというと、動きを重視するタイプだったので感覚を大事にしていました。

選手とコーチで大事にするものが違った場合、大事にするものが何かという思想の話になるので折りあうのは難しい印象があります。特に選手が自分で考えをもって競技に取り組んでいる場合は顕著です。

結局、ゴールは一緒なのですが、重要だと思っているところが異なると、優先順位が違ってきますので……。

自分が自分をどう扱うかに関心があった

今井　要素は同じでも、その要素をどのくらいの比重で足し算していくかというのは、人によって本当に違いますね。

為末　そうですね。もう少し根本的なこと言うと、僕は、人間の心や学習に興味があって、人の起こすエラーや、どうやって学んでいるか、自分が自分をどう扱うのかに関心がありました。**自分で考えたトレーニングをして試合をすることで自分に生じる変化を観察することが面白かった**ので、全部自分でやってみたい気持ちになり、コーチをつけるやり方が合わなかったのかもしれません。

最近は選手と一定の距離を保って、対話をしながら指導するコーチが増えてきています。選手もコーチの提案を考えて、自分の判断で受け入れるかどうか決めるという感じになってきています。今、現役をやっていたら、コーチをつけていたかもしれません。

僕はスポーツをやりながら、ことばが世界をつくるのか、世界がことばをつくるのかに興味をもってきました。どちらの側面もあるのではないかと考えていて、本当はもっと、コーチングの言語をいろいろ分析したら、それがより浮き上がるのではないかと考えています。

1章で、「タオルを弾くように投げる」とイメージすることによって目的の動きを引き出すということを書きましたが、指導言語にもそのように誘導することばはたくさんありますし、それが巧みな指導者もいます。

ただ、どこまで具体的にやるかは難しいところです。あまりに言語で上手に誘導しすぎると、ことばによる操り人形的に技能を習得していき、自分で発想して習得する実感が得られない可能性があります。

むしろ、やや遠目のところに、抽象度の高い球を投げたほうが、自分で探って上達した実感を得られるということもあるでしょう。流れるような動きが大事なんだとだけ言って、あとは本人に探させるようなイメージですかね。あまりにやりすぎると、禅問答のようになってしまい選手も混乱しますから、そのさじ加減が大事です。**それもやはりことばの抽象度をどの程度にするか**で決まりますよね。

オリンピアンと金メダリストの違い

今井　例えばオリンピックでメダルを取れるような方で、コーチに何か言ってもらわないと何もできないとか、自分で練習を組み立てられないというようなコーチべったりの選手はいますか?

為末　それは素晴らしい質問です。メダルを獲得できるようなトップアスリートになると、そういう方は少ないです。ただ、メダルには手が届かなくてもオリンピックには出場しているレベルの選手でも、コーチに言ってもらわないとうまくできない選手はけっこういます。

言われなくても自分で考えることができる能力がある選手は、自分が練習で何をしようとしていたかと、実際にやってみてそれがどうだったかの差分を感じる能力が非常に高いです。だから修正がうまくなる。

僕のようにトレーニングの組み方自体から仮説を立てたいタイプと、トレーニングメニューは決まっていて、自分の身体を使って実験しているタイプかの違いはありますが。

今井　オリンピックでメダルを取るような本当に超一流の人というのは、頭がよくないと無理ですね。もちろん、この場合の頭がいいというのは、よい大学に入れるというような話ではなくて、自分を分析して振り返って、自己修正したり、自分で意思決定ができるということです。そのためには自分の知識のあり方、身体のあり方を誰よりもわかっていないといけない。

もちろんコーチは大事だと思うし、コーチのことばに耳を傾けることは非常に大事だとは思いますが、それをただ盲信するのではなく、コーチの言っていることが、今の自分に合っているのか、最終的にはそうした判断も自分でできる必要があるのではないでしょうか。

緊張を調整する

為末　先ほど、緊張で失敗した話をしましたが、競技において、緊張してアドレナリンが出ると揺らぎが大きくなります。

例えば走り幅跳びでは選手はいつもどおりやっているつもりなのに、緊張によって歩幅が数センチ変わるので、練習ではピッタリ足が合っていたのに試合では合わなくなるということが起きます。

僕も練習ではハードルに届かなくても、試合の時はハードルに届くということがほとんどでした。逆に試合の時には歩幅が伸びるはずだから、練習でぴったり合っていた時には、試合の時に若干歩幅を縮めようとしていたぐらいです。自分がどの程度興奮しているかを考慮して、アウトプットを調整する必要があります。

特に、調整が必要な競技のほうが、選手が緊張で失敗するということが起こりやすくなります。また、調整の内容が繊細になればなるほど、緊張が悪影響を及ぼします。

中でも、体操はもっとシビアで、ほんの少し力加減が違うだけで、回転がまわりすぎたりするそうです。緊張しないようにすること自体が難しいので、自分の緊張の度合いによって力加減を調整しているという話でした。**彼らは試合の時だけできる力のことを「試合筋」と呼んでいる**そうです。ふだんは時速65キロメートルしか出ない車に乗っているのだけれど、本番は時速70キロメートル出る車に乗り換えるのでその前提で練習する感じですね。

今井　結局、緊張の加減は自分にしかわからないから、自分で調整することを学んでいくしかないのですね。

為末　そうですね。人によって、心拍数がすごく上がる人もいれば、上がらない人もいるし、調整が狂いやすい人もそうでない人もいて、それらは経験則で学んでいく感じです。

結局、自分の身体感覚と結果として起きたことの差分を分析するわけです。自分がやったことを、きちんと振り返って、学習できるかどうかはとても大きい。

「変だ」ということに気づかない子どもたち

今井　そうなのですよ！　小学生に、算数の文章題をやってもらった時、「４・２メートルのリボンを使って、残り１・７メートルになりました。何メートル使ったでしょう」というような単純な引き算が、５年生でもできないことがありました。

それはなぜかというと、きちんと振り返りをしていないからです。上級生の算数の授業は、掛け算や割り算などが多くなるのですが、問題をちゃんと読まず、いちばん最近教えられた掛け算や割り算をしてしまい、その結果、答えがとんでもない数字になるわけです。

でも、多くの子どもは、あり得ないということに気づけない。そこで、変だと思えれば、問題自体はシンプルなので、考え直すことができるはずです。でも多くの子どもが、**最近習ったことに、機械的に数字をあてはめてしまう。**いちばん致命的なのは、そこで変だと気づけないことです。

為末　最初の段階で、直観的にアタリのようなものがついていれば、それとの比較で、結果がずれていると変だということがわかりますが、アタリがついていないと、立ち戻ることもできません。

今井　そのように「変だ」と思えることを、認知心理学ではメタ認知とか批判的思考というのですが、今、為末さんがおっしゃったように、「これはちょっとおかしいのではないか」というふうに思えない子どもが非常に多いのです。

実はそれは、子どもだけの問題ではなく、例えば、大学生やあまり経験を積んでいない若手研究者に統計を任せると、何かプログラムのコードを間違えて、とんでもない結果が出ているのに、気づいていないということがあります。ある程度熟練してくれれば、一目でおかしいとわかるのですが、彼らはそれがわからない。ですから、**どこまでがあり得る範囲かわかるという感覚をもつことは大事**だと思います。

でもその一方で、科学の進歩は、多くの人があり得ないと言っていたことや、何かの間違いだと思っていたところから、ノーベル賞につながるようなすごい発見が生まれたりするわけです。もしかしたら、そもそも予想や理論自体が違うのではないかと疑って、それが的を射ていた時に、世紀の発見が起こるという……。

為末　ですから、場合によっては「あり得ない範囲がわかる」というロジックをあてはめた時の弊害もあるということですね。

失敗から学べること

為末　スポーツでは、失敗はとても大事なのですが、勘のいい選手は、**まず、何をしようとしていたかを自分でわかっていて、それによって失敗した瞬間に、予想と何が違うかがある程度クリアに見えています。**

その予想がない選手は、「やってみたけれどうまくいかなかった」で終わってしまう。うまくいくというのは、例えば野球のピッチングなら球がストライクに入るということです。この時、どのようにストライクに入れようとしていたのかという部分がないと、うまくいかなかった時に、どの程度ずれていたのかが正確につかめません。

今井　本当にそのとおりです。何かを試みる時、なんらかの、着地点がわかっている必要はあるのですが、これがなかなか難しい問題です……。

初心者は、そもそも着地点がわかりません。それなりに着地点がわかっていれば、失敗も分析できますが、それがわかっていないと、失敗はただモチベーションを下げるだけになってしまうわけです。


為末　初期の失敗の修正というのは、狙いがわからないまま、やみくもにやっていく感じです。次第に大体このあたりがうまくいく範囲だなとわかってくると、そこを狙いにいく。それから、さらにその次の段階として、ほどよく遊びを入れて、うまくいくやり方を構造的につかんでいく。

けん玉を例に挙げると、ひたすらけん玉を乗せようとアプローチしていく段階があり、ある程度までくると大体この力加減だとうまくいきそうだという範囲がわかるのでそこを狙いにいく。次第に力加減をあれこれ変えてみて、どれがうまくいくか遊びはじめる。

ここはセンスで分かれるところだと感じていて、ひたすらに同じアプローチで狙いにいく人と、ふと「もう手を動かさないで、膝を使ってやってみよう」というやり方にいく人では、次の段階の展開が大きく違うと思います。違うアプローチでやってみようと思いつくことは、停滞を打破するうえで大事なことではないかと思います。

「できるようになる」とはどういうことか

今井　今のお話は、まさに認知科学論にヒットしていますよ。先ほどお話ししましたが、玉入れやバスケットのシュートの練習をする時、決まった位置から正確に入れるという練習だけをすると、肝心な時に失敗してしまいます。これに対して、少しずつ角度や距離を違えて練習したほうが、最終的に成功率が上がるというお話をしましたが、為末さんのお話は、まさにこのことだと思います。

言い換えれば、少し幅をもたせて、角度や距離が変わる中でも対応できる能力を身につけるということが非常に大事だということです。定点からの精度を１００パーセント近くまで上げても、結局、それをすればするほど、定点からちょっとずれただけで、再現できなくなってしまう。

為末　再現するとか、それが使えるようになるということは、一般的に思われているような、**同じことが繰り返しできるようになるということではなく、違う条件に対応できるということ**なのですね。

今井　そう。違う条件で同じパフォーマンスができるように調整できるということです。

ことばの感度が高い子は応用力も高い

為末　僕が選手の頃、よく不整地でトレーニングを行っていたのですが、これはいつもと違う地面でいつもと同じようなパフォーマンスを出すためのトレーニングです。

言語の習得も似ているのではないかと思いました。ある場面で「漂う」ということばを使ったらうまくハマったけれど、似たような場面ではハマらなかった時、その外的環境の違いはなんだろうと推論がはじまるのではないでしょうか。

そして、同じことばでも通用する場合としない場合など、**いろいろな環境で使いながら体験を溜め込んでいくうちに、次第に感覚をつかんでいって、ある程度の閾値を超えた時に、肌感覚としてそれがわかるようになる。**それが2章でお話ししたような身体に接地するということではないかという気がします。

今井　そのとおりだと思います。ことばはさまざまな状況でたくさん使うことが大事で、そうすると、肌感覚としてことばの意味はこういうふうに拡張できるのだということがわかってきます。それが新しい状況での応用力にもつながります。

為末　動詞や分数が使えるようになるというのも、条件が違っても抽象化して応用ができるということですよね。

今井　そうなのです。拙著『親子で育てる　ことば力と思考力』（筑摩書房）にも書いたのですが、この**調整力は、ことばを使いながら身につけるのがいちばん、自然**な方法です。ことばを使うというのは、そうした調整力、応用力を伸ばすのに、非常に重要な要素です。誰でも使えることばの中に、それが盛り込まれているのです。

ですから、ことばの感度が高い子どもは、調整力やメタ認知が育って、応用力が上がります。一方、ことばをぞんざいに考えて、ことばの力をつけておかないと、10年後や20年後に何かの分野で熟達者になる必要がある時に困ることになります。

物語をもつ

為末　今の話で思い出したことがあります。主にチーム競技で多いのですが、試合前にモチベーションビデオというものを見たりします。例えば2011年の女子ワールドカップドイツ大会の準々決勝直前に、なでしこジャパンが、東日本大地震の映像を見て、**自分たちは社会の中でどのような役割を担っているのか、これから自分たちが行うことはどのような物語の一部なのか**を想起したという話が有名です。

アスリートは、頭の中で、そうした物語をつむぎだし、自分をその中にはめ込んでモチベーションを高めます。モチベーションというよりも、自分自身の存在意義を物語で定義づけるようなところがあります。その物語にはたくさんの原型があり、自分なりにハマりやすい原型があります。育ってきた環境が影響している感じがしますね。

日本で育った私たちの世代のいちばんの原型は「少年ジャンプ」的な、困難に耐え、努力し、乗り越えていくものです。ただ、困難に耐えて乗り越えるという物語は、例えば怪我をした時や、精神的に疲れた時に、一層自分自身を追い込む結果になりかねません。その場合は、弱さを受け入れるといった新しい物語に自分を置く必要が出てきます。

今井　ことばが少ないと行き詰まる？

為末　この場合は、どちらかというと読書体験や、複数のロールモデルなどかもしれません。いろいろな物語の原型というのは、選手の感覚からするとかっこよさなのですが、単一のかっこよさしかないと、それがハマらなかった時に、無理やり自分をそこにはめ込もうとしてとても苦しくなります。

大人になると、いろいろな生き方があって、それぞれにかっこよさがあるということがわかってきますが、スポーツ選手はピークが20代とはやく、そんなにたくさんの生き方の例を知りません。また、どうしても視野が狭くなりがちなので単一の物語のみにハマりこんでしまいがちです。ですから**読書体験などで、多くのかっこよさをもつようにしないと、ひとつのかっこよさに固執してしまいます。**

僕の場合は、典型的なアスリートの物語で進めてきて、途中でいくつかの物語が混ざってきたという印象です。精神的に疲れたスランプの時期と、引退の時期は、物語の書き換えがないとうまくいかなかったと思います。

今井　どういうパターンでしょうか？

為末　典型的なアスリートの物語は、困難に正面から立ち向かって克服していくというものです。ですが僕は短距離から、技術系種目であるハードルに転向した時に、**小さくて巧みに戦うかっこよさにシフト**してきました。そして、終盤は禅的な世界に入っていった感じですね。

言語の限界

今井　為末さんは小学生の頃、どういう本が好きだったんですか？

為末　当時は漫画が多かったですが、本はシャーロックホームズが好きでした。

今井　私もシャーロックホームズ大好きだった！

為末　僕は人間の心を想像できる人が、いちばんすごいのではないかと思っていて、シャーロックホームズが来客者の様子から職業を洞察するというシーンにとても惹かれました。

　あとは、国語の教科書だけ学期の前に読んでしまったり……。好きだったんでしょうね、物語が。

今井　為末さんとお話ししていると、為末さんが、小さい頃からすごく読書をして、ことばというものをチューンアップしてきたことが、選手時代や今のご活躍につながっているのだとよくわかります。

　幼児期から文字を教えて読めるようにする必要はありませんが、ことばをたくさん使って、ことばの意味を考えたり、お話を聞いたり、お話の中で「このことばって、こういう意味だと思っていたけれど、この場面では違う意味で使われている」ということに自然と気づくような、ことばに対する感度が育つと、それは、成長してからも影響すると思います。

　でも、言語にはもちろん、限界もあります。なぜなら言語は、ある意図をもって発せられ、解釈されるものなので、そこで必ず、行間を埋めて解釈するという過程が生じ、そこで、誤解が生じたり、内容がずれたりすることがあるからです。伝える側も、常に最善の伝え方を考え抜いているわけではなく、けっこうぞんざいにことばを使って、いらぬ誤解を生み出すこともあるでしょう。

対面の場合は、言語情報だけではなく、言語の周辺の情報、つまりイントネーションや表情などの情報（これをパラ言語情報と言います）も重要です。従来、**言語の限界を、このパラ言語で補っていたと思うのですが、今、SNSのようなテキストだけの世界になると、パラ言語が使えなくて、大きな軋轢を生みます。**

私たちはことばを使ううえで、お互いに心を読みあうことは不可欠です。それが言語の限界だという人もいます。でもことばを正確に使えなければ、いくら相手の心を読んでも、コミュニケーションをうまく取ることはできません。結局、言語側サイドの問題というより、言語の限界を理解せず、ことばをぞんざいに扱う使い手の問題ではないかと思うのです。

5章　学びの過程は直線ではない

為末［考］熟達の過程で行き詰まる時

学びの最初は、まず「無意識にできるようになる」こと

前章で、熟達について話をしましたが、最後の章では学びの過程についてもう少し考えたいと思います。

まず、具体的に個人のアスリートが、どのような過程を経て熟達していくかというと、最初は、反復しかありません。おそらく語学学習も同じで、例えば、英語を学習している人は、とにかく聞いた英語を繰り返し話して覚えるということをしているのではないでしょうか。最初はとても難しくて、たどたどしいけれど、やっていくうちに次第にうまくなっていきます。そのように、人間というのは反復することで無意識にできるようになります。

特に**スポーツの場合、無意識にできるようにならないとそのスポーツを楽しめない**ということもあります。バスケットボールでもサッカーでも、ドリブルを意識してやっている間は、目の前の選手にフェイントをかけたりすることすらできません。ですから、少し言

い方を変えると、スポーツの場合、何をしているのかを考えなくてもできるくらいの状態まで反復するということが、第一段階の学習プロセスとなります。

これは、自転車に乗る練習とも似ているかもしれません。最初はペダルを回すことに一生懸命で、ほかのことは目に入りませんが、ペダルのことを忘れて自然に自転車を漕げるようになると、まわりの風景を楽しんだり、どこに行こうか考えたりするようになります。

ところが、ここから先にやっかいなことがあります。それは、**反復して刷り込ませた動き自体をアップデートしていく必要が出てくる**ことです。自転車の例で言うと、乗りはじめの頃は、右足踏んで、左足踏んで、なんとかしながら乗れるようになったと思います。それが自然にできるようになったあと、さらに効率よくペダリングを求めていくとしたら、それまでとは違う乗り方をしなければなりません。

無意識でやっていたことを意識的に直す

普通に自転車に乗っている時は、足首も使ってペダルを漕いでいますが、この足首の柔らかさがエネルギーロスにつながります。スピードを出そうと上からペダルに力を加えようとしても足首が動くと力を吸収してしまうのです。ですからトップサイクリストは足首の角度を固定します。スキーブーツをはいた時の固定された足首のような状態で、股関節の動きだけでペダルを漕ぎます。

自転車に乗りはじめの頃はそんなペダリングを意識していませんから、足首を動かす癖がついています。**無意識の中でしまい込んでしまった身体の動きを改めて引き出し、意識的に改善しなければなりません。**このプロセスが、なかなか大変です。スポーツ界でよく、「いちばん初めの基礎の時に、正しい動きを覚えましょう」というのは、まさにこのことを指しています。つまり、どこかバランスが悪いような動きを最初に癖つけてしまうと、それを書き換えるのが難しくなるからです。

そうして覚えた動きは、改めて意識しながら書き換えをしていくことになるのですが、ここであまりに**細かいことを意識しすぎると、過剰に動きを意識してしまい逆にへたになってしまう**ことがあります。

これについては、ムカデとアリの寓話がイメージしやすいかもしれません。ムカデとアリが一緒に歩いていて、アリがムカデに、「そんなたくさんの足を絡ませずに歩くことができるなんてすごい！」と言います。すると、それに気をよくしたムカデが、「いや、こんな簡単だよ、今からやってみせよう」と、初めて歩くことを意識して説明しながら歩こうと思った途端に、足が絡まって転んでしまうという話です。これがまさに、無意識でやっていたことを意識的に行う時の弊害です。でもそれは第一段階を終えた、動きの改善プロセスで起きることでもあります。

さらにこの延長線上で、オリンピックなど大試合に出るようになると、そこでは自分の長い競技人生でもかつてないほどの注目と観客の多さを体験することになります。その中で、いつもどおりやることが、いかに難しいか。前章で、最初のオリンピックで転倒した話を書きましたが、やはり人間は社会性がありますから、観客が見ている中でまるで誰にも見られていないかのようにはできないものです。

コーチには「いつもどおりやればよい」と言われますが、どう見てもいつもどおりの状況ではありません。この時、ふだんであれば意識していないことを意識してしまい失敗するということが起こります。

意識をすればギクシャクするし、意識しなければ動きが改善されない。じゃあどうしたらいいんだと思いますが、それなりにやり方があります。**僕の場合は必ず意識的に練習する時と、無意識に練習する時とに分けていました。**

例えば、細かい技術を意識しながら、時には鏡などで自分の動きをチェックしながら練習を行う時と、ただひたすらにゴールだけを見て走るなど、外部の狙うべき目標だけにフォーカスする時を交互に繰り返し、うまくなじませていくということをします。自分を見る日、目標を見る日を分けて、同時にやらないということですね。

局所だけに集中すると全体が見えない

身体を自然に連動させて動かすために、自分ではなく外に意識を置いておく必要があるのですが、動きを改善する時には自分を意識せざるを得ません。中途半端に両方を混ぜるよりも、思い切ってどちらかに振り切って練習を行ったほうが結果としてうまくいきました。

身体のどこかに意識を向けて動きを変える際に、局所に意識が向かいすぎることで問題が起きることがあります。人間の身体というのは、すべて連動しているため、どこかを局所的になおしたら、必ずそれに対応して、ほかの部分も変化してしまいます。

僕の場合、左の膝とアキレス腱がとても痛くなったことがあり、ずっと、局所的なアイシングをしていました。ある時、自分の走る映像を見ていると、自分が走っている時の右肩の動きが、以前より大きく回転しているように見えました。

人間の身体というのは、対角線上の部位が連動して動きます。つまり、右肩が回っているということは、左の腰も回っているはずです。左の腰が回っていると、足がついた時、ねじれが大きく生じて、その結果、膝とアキレス腱がねじれていました。そのねじれが痛みを生んでいたのです。そこで、右肩の動きを修正するという練習を行った結果、膝とアキレス腱の痛みも解消しました。

このようなことは、スポーツではよく起こります。問題が起きた時、それ自体に問題があるのか、あるいはそうならざるを得ない問題がもっと奥にあるのか、各所の関係を見ながら、身体全体としてバランスをとっていくということが大切です。

熟達した選手たちは簡単に技術を調整しているように思えるかもしれませんが、局所で技術を改善すると、必ずそれによって変化した全体のバランスを取り直しています。局所だけを改善していくと、知らない間に全体のバランスが崩れてしまい、パフォーマンスが低下するからです。

末為

【問】伸び悩んだり、つまずいたりした時、どのようにして抜け出すか？

試行錯誤しすぎてもとの道を見失うことがある

当然、スポーツの世界では伸び悩むことがあります。

先ほどは繰り返して身体に習得させるという話をしましたが、それがしっかり身体に定着すると、今度は技術がそこから変わりにくくなります。技術の安定は、見方を変えると停滞でもあります。そんな時、選手はあれこれ試してみるのですが、その感覚は「こうすればうまくいく」というよりも「どうなるかわからないけれど、今までとは違うことを試そう」という感じに近いです。

このいろいろ試している時に起きがちな落とし穴というのは、自分のパターンがわかっていないまま新しいことを試しすぎて、もともとのやり方がわからなくなってしまうことです。そうすると、それまで身体の中で起きていた調和や連動のようなものが崩れて、もとに戻ることが難しくなります。行き詰まったのでほかに道がないか探していたら、もともと歩いていた道すらわからなくなったという状態です。

選手はそれを恐れて慎重に新しいことを試します。その時のイメージは**歩いていた道の木に紐をくりつけ、片方の手でその紐をもちながら、どこかに抜け道がないか探していく**ような感じに近いと思います。しかも、時間は夕暮れてほとんど周りが見えない。

今井［解］学びはリニアではない

法則に気づくとできなくなることがある

今井　今のお話は本当に大切なことで、みなさん、トレーニングによって卓越するというと、直線的にどんどん上達していくというイメージをもつことが多いのですが、実際にはそのような学びは、ほとんどありません。

子どもの概念発達やことばの学習でさえ、直線的ではなく、螺旋状に近いです。**新しいことを学ぶと、これまでできていたことができなくなる、あるいは混乱する**という時期がいろいろなところで見られます。そこを乗り越えると、今までのレベルよりもぐっと成長することができるのですが、ではなぜ、いったん落ち込むのか。

それは分析をするからです。それまでは自動反応のように、覚えたことをそのまま繰り返していたわけですが、ある時から、パターンを分析するようになります。

例えば、英語では動詞の過去形にedがつくものが多いわけですが、その規則性を見いだす前は、ただおうむ返しのようにedのついた過去形の単語をひとつの固まりとして使います。ところが、ある時、気づくわけです。それがyesterdayと一緒に使われることが多いと。そして、yesterdayと言う時、どうしていつも動詞にedがつくのかと考えはじめると、過去のことを言う時に、edをつけるのかもしれないということに気づきます。すると、それまでgoの過去形はwentと言えていた子どもが、goedと言い出すことがあります。

為末　面白いですね。法則に気づくと、それまでに無意識にやっていたことができなくなる……。

今井　そうなのです。法則を過剰に適用してしまうような時期があって、でも、それが修正されると、柔軟性がもう一段、増します。

考えはじめの谷

為末　「考えはじめの谷」と呼んでいる現象があります。普通にスポーツをやってきて、技術が無意識でできるようになっていた選手が、自分の身体がどう動いているかを客観的に学習しはじめた途端にへたになるんです。**自分の動きを客観的に捉えようとすると、ただ反復していたことがどういうことなのかを考えることになる**んですね。

例えば、ただ走っている選手が、そういえば腕を振る際に大きく後ろに引くと、足が前に出るけれどどういう関係にあるんだろうか、などです。その谷を抜けてうまくできるようになると、ある形を繰り返すしかなかった選手が、柔軟に動けるようになります。身体全体が勝手にバランスをとってくれるイメージですね。

その人なりのバランスの取り方になるので「スタイルができてきた」と言われたりします。それと非常に似ている気がします。

また、この時に、無駄打ちをすることも大事な気がします。goed と went の例で言うと、あらゆる状況で goed と言ってみたり、went と言ってみたりして、その時の人の反応をたくさん溜め込んで、どうも went のほうが正しいらしいとわかるというような感じでしょうか。

今井　そうですね。ただ、そのやり方は機械学習的かもしれません。**機械学習はとにかく**

無制限に回数を重ねて、そこから統計値を得るというものですが、人間の場合には、それでは時間がかかりすぎてしまいます。

ですからやはりトップダウンに絞り込んでいくことは必要です。もちろん人間も統計的な分布を抽出することはできなくはないですし、赤ちゃんはそれが非常にうまいです。でも、成長するにつれて、トップダウンに仮説を決めて試すことの比率が大きくなっていきます。まったく仮説ゼロで、ランダムに試すというのは、うまくいかないことのほうが多いですね。

ランダムに試すか、経験にしたがって試すか

為末　それは逆のことも言えますか。つまり、赤ちゃんの時のほうがあらゆる可能性をランダムに試すので、適用しやすいけれど、**大人になると過去の経験からトップダウン的に仮説をもってしまって、アタリをつけるが故に、かえってその過去の経験に縛られる**ということもありえるのでしょうか?

今井　それが、私が『英語独習法』に書いたスキーマの話です。言語のスキーマというのは、言語使用者が意識することなく暗黙にもっている知識です。

例えば、日本語で「人がふらつきながらドアのほうへ歩いていき、部屋に入った」と表現するシーンは、英語では「A man wobbled into the room.」と表現します。英語ネイティブであれば自然とそのようなことばが出てきますが、日本語のスキーマで思考する日本語話者には、なかなかそのような表現ができません。このようなスキーマのズレが、外国語の学習に影響を及ぼします。

でも、子どもの場合は、スキーマが何もないところからスタートし、最初はたくさんの無駄をして、統計的な分布を分析しながら自分でスキーマをつくっていきます。もちろん間違ったスキーマをもつことも多いですが、修正がしやすい。一方、**大人が母語の学習ですでにできてしまったスキーマを修正するというのは、かなり難しい**と思うのです。

為末　なるほど。スキーマは言語の習得に限らず、さまざまなところで障害となりそうですね。これは社会の中でもそうかもしれません。

例えば官僚の方は大変正確に言語を扱うんですね。解釈の余地があまりないような書き方です。一方で広告などコミュニケーション的な言語を仕事で扱う人たちは、正確さよりもそれが想起させる印象を重視します。

例えば転職で官僚の方がコミュニケーションを重視する仕事をはじめると言語も変わっ

てきます。これもスキーマが変化したと言えるのでしょうか。

文化も包含した無意識の知識の固まり＝スキーマ

今井　それも、スキーマですよ。スキーマというのは、ある特定のひとつのことを言うのではなく、文化も包含した無意識の知識の固まりのようなものです。海外と仕事をしていた商社マンであれば、その国と日本の文化のスキーマもあるかもしれません。

同じ日本の中でも、アスリートにはアスリートのスキーマがあるでしょうし、業種によるスキーマというものもそれぞれあると思うのです。ですからスキーマというのは、非常に多層的にあるものです。

我々はコミュニケーションをとる際、自分の畑ではない人も理解できるかということを、気をつけて話をする人もいれば、まったくそうでない人もいます。中には、自分が知っていることは、ほかの人も全部わかっているはずだという前提からはじまる人もいます。

為末　以前、東京オリンピック・パラリンピック競技大会組織委員会の森喜朗《もりよしろう》会長が、性差別発言で辞任するということもありましたが、あれも、男性社会のスキーマではないかと思いました。

今井　あれは、森さんご自身の成功体験のスキーマではないでしょうか。あるいは森さんと同年代であったり、同じような立場にあったりするような人たちにとっての成功スキーマであり、社会規範のスキーマともいえるかもしれません。

為末　変化が激しい時には、従来、自分がもっていたスキーマを書き換えられる柔軟性を手に入れられるかが非常に重要になりそうです。

自分のスキーマを疑う難しさ

今井　そうですよね。自分のスキーマを疑うというのはとても大事なことだと思います。自分はこう思っているけれど、それは、社会で共有されているだろうかとか……。自分が今いる立場とは違う、別の立場にいると仮定して改めて自分を眺めるとか、もっと上のほうから俯瞰的に自分を見つめているとか、そういうことができるのは、大切な能力だと思いますが、それができない人も多いと思います。

森さんのような方は、挫折の経験があまりないかもしれません。為末さんにＳＦＣ（慶應義塾大学湘南藤沢キャンパス）のキックオフレクチャーでご講義いただいた時、失敗の話をされていましたが、挫折がなく、上まで上り詰めてしまうと、結局いつか、特にとても大事な時に、足元からすべてひっくり返るほどの間違いをしてしまいます。ですから、そうならないための失敗は重要です。

為末　失敗にも、大きく分けて2つあるような気がします。1つは、あるモデルの中における失敗で、分析すれば、何で失敗したかがわかるもの、もう1つは、そもそも根本の認識のところで、まさに自分が思い込んでいたものの前提が違って、考え方すらガラっと変わるような失敗です。

森さんの場合、日本社会、特に男性社会の中のモデルというものがあり、そもそもこのモデル自体を疑うということがなかったのかもしれません。

今井　成功した人ほどそういう傾向があります。特にこのごろ多いですよね。政治家だけでなく、学術の世界でも、研究不正によって、それまで築き上げてきた非常に優れた業績が、一気に足元から崩れてしまうというようなショッキングな事件が起きています。

「わかった」問題

為末　先生にお話をうかがって、すごく面白いと思うのは、僕らが「知っている」とか「わかる」ということばを使った時、いったい、どの深さまでのことを指して、「知っている」

と言えるのかということです。

選手たちに、よく、本を読むことをすすめるのですが、読んだあとにどうだったか聞くと、僕とは全然、解釈が違っていて、「そう理解するんだ！」とびっくりすることがあります。

最近、言われはじめていることですが、本を読んで「わかる」ということの中に、実はけっこうな理解の差があるのではないかということを、僕自身も感じています。

ですから、「わかる」と思っている自分は、本当にそれをわかっているのか、この「わかっている」という感覚は合っているのか。容易にわかったと思ってしまっているけれど、わかっていなかったということがたくさんあるし、何をもって、知識を得たと言えるのか。これは、深遠なテーマな気がします。

今井　さすが為末さん、学習の本質のど真ん中を貫く鋭い問いだと思います。**達人になれる人というのは、自分が、何をわかっていて、何をわかっていないのかを明確に判断できるというところが非常に大きい**と、私は思っています。そこがまた、いちばん、個人差があるところです。

基本的に人は、自分の知識を過信しています。スティーブン・スローマンの『知ってるつもり――無知の科学』（スティーブン・スローマン＆フィリップ・ファーンバック著　土方奈美訳　ハヤカワ文庫ＮＦ）という本は読まれました？

為末　いえ、まだです。

知識の錯誤

今井　ぜひ、お読みになることをおすすめします。彼は昔からの友人です。あの本がすごく面白くて、私が主宰するオンラインセミナーのイベントABLEで話をしてもらいました。その時に彼が言っていたことですが、私たちには知識の錯誤というものがあって、知らないものまで知っていると思いがちです。

それはなぜか。世の中はあまりにも複雑で、とてつもなくたくさんの専門的な知識をもっていないとできないことばかりだからです。そうした中で、**私たちはほとんどのことを外部の知識に頼り切っていて、自分の外にある知識を自分の知識と同一視しています。**

このため、自分で本当にもっている知識と外部の知識の区別があいまいになって、「この部分は、自分はわからない」という意識が欠如したまま、自分はそれを知っていると思い込んでしまうわけです。

例えば、「水洗トイレを知っているか」と問われれば、大概の人は「知っている」と答えるでしょう。けれど、実際、多くの人は水洗トイレの仕組みを知っているわけではありません。でも水洗トイレがどういうものか知っていると、その仕組みまで知っている気がしてしまう。

そういうバイアスを人はもっているし、もたないと、生きていけない。世の中が複雑すぎ、知らなくてはいけないことが多すぎる。しかしそれを全部詳細に理解することは不可能で、いちいち知らないことを気にして全部を理解しようとすると生活が破綻してしまうからです。

「知っているつもり」のバイアスをもつことにより、人は他者のもつ知識を自分の知識の延長のように思い、実際に他者の知識に頼ることによってさまざまなことを成し遂げてきました。ただ、個人レベルで考えると、そこが「落とし穴」にもなるわけです。

３分の１と２分の１ではどちらが大きいか？

為末　そうすると、学ぶ側が、「わかりました」と言った時、どのくらい何をわかっているかは重要だということにもなりますね。

今井　そうなのです。それは指導者にとって、非常に大事なことです。「わかりました」と言っている相手が、本当に、指導者が理解してほしいと思っていることをわかっているのか。例えば、小学生に「分数、わかる？」と聞くと、多くの子どもは、「授業でやったからわかる」と言うのです。

では、本当に分数が「わかっている」かというと、実はそうではありません。私自身、『算数文章題が解けない子どもたち』で報告した調査を行って非常にショックだったのですが、「分数、わかる」という子どもに、「3分の1と2分の1、どちらが大きいと思う？」と聞くと、**驚くほどたくさんの子どもが、「3分の1のほうが大きい」と答えます。**それは、2より3のほうが大きいからで、要するに、分数の概念も、分子と分母が何を意味するのかもわかっていないのです。

それだけでなく、「2分の3は分数ですか？」と聞くと、「分数ではない」と答える。彼らは、分数は1より小さくてはいけないと思っているのです。

そういう子どもたちに、「分数わかる？」とたずねれば、「わかる」と言います。そこで先生も安心して、「では、次の単元に行きましょう」と先に進んでしまうわけですが、子どもたちの理解のレベルは、次の単元に進んでしまってよい状態ではまったくありません。

為末　それは子どもだけでなく、大人でも、聞いたことのあることばを、わかったつもりになるということはいろいろありそうですね。

「知っているつもり」の危うさ

今井　ことばというのも、落とし穴になるわけですよ。そのことばを知っていると、実は深くは何も知らないのに、知っているつもりになってしまう。コロナウイルスもそうですよね。**「コロナウイルスを知っている？」と聞いたら、子どもでも「知っている」と言う**でしょう。

でも、本当に研究している人ほど「わからない」と言うし、実際、一般人は大人でもその仕組みは全然わかっていないのです。でも、そのように、人は、往々にして、ことばを知っていると、「そういうものがあるということを知っている」「そういう概念があるということを知っている」ということから、「知っている」と考えてしまいます。

結局、私たちは、知っているということに関して、非常に楽観的で、いい加減なのだと思います。ただ、その中で、少数の人はその危うさに気がつくわけです。

為末　「知っているつもり」の危うさですか？

今井　そうです。その危うさに気がついた人は、「本当に知っているんだろうか」と、問いはじめます。そういう人は、無知を突き抜けることが多いと思います。

この章のはじめの165ページで為末さんがおっしゃっていた、「選手は歩いていた道の木に紐をくくりつけ、片方の手でその紐をもちながら、どこかに抜け道がないか探していく」という表現は、非常に面白いメタファーですね。何か新しいことをする、新しいことを学ぼうという時、私たちは、自分のもっている知識からは、逃れられません。ゼロからは何もはじめられないので、何か、もっている知識を足台にします。

その時に、自分でも何だかよくわからないけれど、いろいろ試してみる人と、コーチにこうしろと言われたからやる人がいるとおっしゃっていましたが、自分でやってみるほうが、うまくいく確率は高いのではないでしょうか。

自分がどこにつながっているのか（接地しているのか）ということは、自分しかわからないので、そこを自覚できると柔軟に思考できるようになり、たとえうまく言語化ができなくても、勘が働くようになるのです。

為末　無意識の世界ではなんらか感じているものがあるというイメージでしょうか？

今井　すべてが言語化できるわけではないし、すべてを言語化すればいいというわけではないと思います。私たちが言語化できる知識というのはほんの一部です。

前章で「熟達者の直感は非常に豊かで、多面性と多層性のある表象をもっていて、意思決定においてもことばにはできない直感が働く」ということをお話ししましたが、**熟達の究極は、豊かな直感**だと私は考えています。この直感は「ひらめき」ともいえるでしょう。

限界の突破

為末　なるほど。直感は確かに大事ですね。

スプリンターのトップ20名ぐらいの選手を集めて、データをとっても明確な違いはありません。**オリンピックに出る選手と出られない選手を身体的に測定しても、何が重要なことかが見えない**んです。でも、何かがそこにはあり、それが身体的な豊かな直感という可能性はありそうだと思いました。

もうひとつ、社会によって限界が引き上げられることもあると思います。

陸上の世界では、日本人選手が100メートル走で10秒台を切るということが長らくありませんでした。伊東浩司《いとうこうじ》選手が10秒00を出したのが１９９８年のアジア大会で、それから20年近く記録が更新されず、２０１７年に桐生祥秀選手が９秒98を記録して、日本人で初めて10秒台を切りました。その後、次々に９秒台の選手が出て、２０２１年に山縣亮太《やまがたりょうた》選手が９秒95を出しました。

これは１００メートル走だけの現象ではなく、陸上競技というのは、いつもこのように切りのよい数字の前に記録が止まり、誰かがそれを破ったとたん、記録更新する人が一気に流れ込むという現象が起こります。

つまり、**人間の限界というのは、思ったよりも決まっていなくて、誰かが成し遂げることで限界が突破されていく**ことが興味深いなと思っています。

今井　為末さんがおっしゃっているのは、マインドセットではないでしょうか。確かにそれはそのとおりなのですが、注意しなければならないこともあります。それは、目標設定の仕方です。例えば、TOEFLで何点とるとか東大に合格するとかそういうことに固定化してしまうと、それに対してのストラテジーはいろいろとれる一方で、結局、先ほどの柔道の大会の話につながっていきます。

為末　３章の終わりで話した、小学生柔道で力の強さだけで勝っていた子どもが、技術の差が重要になってくると伸びなくなるという問題ですね。

伸び悩みと抜け出し方

今井　そうです。つまり、目標を合格・不合格などの二値的に捉え、合格すればオッケー、不合格だと人生の敗者のように考えてしまうと、合格することに最適化してしまい、そこまではよくても、その後、伸びなくなるおそれは非常に高い。

でも実際のところ、私たちは日常的に、そのようなマインドセットを、個人でも学校でも、あるいは社会でももっているかもしれません。

実は子どもの柔道の話と一見ずいぶん違うように見えるのですが、本質的に同じ問題が算数でもあります。

数の概念は抽象的で、算数は難しい。だから、学校ではやさしい概念から教えて、徐々に難易度を上げていきます。スポーツでも、楽器の演奏でも同じように、やさしいことから難易度を上げていきます。

子どもは、幼児期に、数をまず自然数から学びます。そして自然数を使うのは、モノの数を数える時です。すると、子どもは数というのは、モノを数えるためにある、と思い込んでしまいます。そこで分数や小数を教えられると、子どもは認知的な不協和を感じます。**数は自然数だというスキーマを強固にもっていると、いくら丁寧に分数や小数の概念を説明されても腑に落ちない**のです。

ケーキを2人で分ける、3人で分けるというような文脈で分数を教えられ、そこでなんとか納得するかもしれません。しかし、ケーキやピザを2、3人で分けることが分数だと思ってしまう可能性があります。実際、2分の3のような1より大きい分数や、19分の18のような、ふだん見慣れない分数は「分数ではない」と考える子どもはたくさんいます。

では子どもが誤解しないように最初から難しいことを教えたらよいのかというとそういうことではありません。教え手は子どもがどのような概念をもっているかを常に見極め、子どもが誤解しているかもしれないということを想定したうえで新しい内容を教える必要があるということなのです。

基本的には子どもは何かのパターンを発見するとすぐにそれを一般化します。分数をケーキやピザのような丸いモノを等分に分ける文脈で教わった子どもは、分数を、そういうものだと思ってしまう。一次関数を習ったばかりの中学生は関数といえば一次関数のことだと思ってしまう。

そういう一般化の推論をすることは、悪いことではなく、むしろ自然なことです。子どもの賢さの表れとも言えます。

指導者は、やさしくわかりやすい例ばかりを使って教えると、学習者は誤った一般化をして誤ったスキーマをつくってしまうリスクがあることを意識するべきです。一方で、間違いをすることが悪いこと、してはいけないことと考え、誤解をしないように教えることにこだわると、難しい概念は何も教えられなくなってしまいます。

教え手の側のほうで、子どもがどういう推論をして、どういう概念をもっているかを理解しようとし、子どもが誤解をしていたら、それを子どもが自分で解きほぐすことができるようにサポートすることが大事なのです。

為末　なるほど。子どもが課題を通じて世界に直面する時に、自分なりの世界の捉え方を内側につくることになる。それ自体は子どもの賢さの表れなのだけれど、その内側の捉え方で違う課題に向きあうと不具合を起こすことがある。その都度コーチは子どもがもっている捉え方を洞察して、新しい捉え方を手に入れられるように伴走する、というような話ですかね。

記憶は嘘をつく

為末　少し話が戻るのですが、先ほどスキーマのお話をうかがいながら、僕たちはいろいろな思い込みや思考の制約の中にいるのかもしれないと思いました。

『White Gloves（白い手袋）』（邦題『記憶は嘘をつく』ジョン・コートル著　石山鈴子訳　講談社）という本を昔読んだことがあります。実家のギターの上に白い手袋がかかっていたと記憶していた人が、実家に行って調べてみると、ギターも手袋もなく、ただ、ある古いテープレコーダーの録音の中で、おじいさんが白い手袋がギターにかかっているという描写をしていたという話でした。そこから、記憶がどれだけ曖昧かということが語られていました。

僕たちが何か思い出せない時、記憶の中には写真のようなものが残っていて、それを引っ張り出せないと考えがちですが、実はそうではなく、毎回、ひとつの単語から連想的に記憶が膨らんでいくそうです。

選手の引退後の講演を聞いていると、**本人が気づかないうちに、記憶がどんどん変わっていきます。**本人が気づかない間に、です。選手が引退後をどう生きていくかによって、自分がメダルを取った時の描写も変わったりして、興味深いです。

今井　実際に、私たちが「あの時にこういうことがあった」と思い出す記憶も変わってしまいますね。記憶について、ある有名な研究があるのですが、同じものを見て、それについて話をしてくださいと言った時、その質問の仕方によって思い出す内容が変わるということがあります。

私が自分の著書の中で挙げる一例は、事故の動画の記憶です。みんな同じ条件で、事故の動画を見るわけですが、その後、「どのくらいの速度でぶつかったと思うか」を聞く時、**「激突」ということばを使うか、「接触」というかで、ぶつかった光景の記憶が変わってしまう**のです。

以前は事故の目撃者の証言は立証に非常に重要視されていたのですが、そのような研究が積み重なった結果、目撃証言自体にはあまり信ぴょう性がないということがだんだんわかってきました。目撃者は嘘をつく気持ちはまったくないのですよね。本当に真剣に思い出そうとしている。

でも、例えば「犯人がこの中にいますか」と聞かれた時、全然関係ないところで、別の誰かの顔写真を見ていると、それだけで、全然見たことのない人より見たことある人のほうを、「この人です」と選んでしまう確率が上がるのです。怖いですよ。記憶は簡単にすり替えられてしまうのですから。

それからよくあるのは、カウンセリングでカウンセラーと話すことによって、自分で新しいストーリーをつくり上げてしまい、それによって起こった時の記憶が変わってしまうというパターン。カウンセラーが幼少期に受けた虐待などの記憶を引き出そうとすると、カウンセリングを受けている方は、話のつじつまを合わせるために、現実に起きたことに想像したことを混ぜて話をつくってしまう。すると想像と現実の経験が混じってしまうということがあるそうです。そして、いったん混じってしまうと、それは水の中に垂らした一滴のミルクのように、分離することは不可能になると、著名な記憶研究者が話していました。また、感情も記憶を大きく変える原因のひとつです。

為末　わかります！　フィンランドのヘルシンキであった世界陸上で、メダルを取った時のことです。決勝当日は雨が激しくて、僕らは競技場とウォーミングアップエリアの間にあった室内通路の中でウォーミングアップをしなければならなくなりました。幅は大人が5、6人手を広げて横に並べて、上は2メートルぐらいあったと思います。その通路には大勢の人がいました。そのたくさんの視線の中で、8人の選手が2レーンを使って、無言でウォーミングアップをしていたというイメージでした。

ところが、数年前に現地に行ってみると、天井に自分の頭につきそうなぐらいの小さな空間だったのです。人が入れてもせいぜい30〜40人くらい。**決勝の高揚感から、記憶が書き換わって、すごく大きな空間にいたと思っていた**のですね。その時、緊張感などの気分で、人の認知はこれだけ大きくゆがむのだなと思いました。

研究者は証言で不利になる？

今井　そうですね。緊張感もそうですし、願望でも記憶は変わりますよ。そういうことを知っている自分は不利だなと思うのは、軽微な交通事故などの時、相手に強い確信をもって「こうだった！」と断定されても、私には強く反論ができないのです……。

為末　研究者だから（笑）。

今井　人間の記憶があてにならないと知っているから、ついつい、「だと思うんですけど、わかりませんね」と言ってしまう。でも、相手は「絶対こうだった！」と確信して断定しているわけなので、これは自分に圧倒的に不利なのです。

為末「そういうふうに私は認識してますけど、客観的にはどうかはわかりません」みたいな……（笑）。

今井　そうなんですよ。一度それで、車をバックで駐車している時に、隣に駐車していた車の運転手から接触したと怒鳴られた経験があります。**私は接触しなかったと思うけれど、相手が接触したと言い張って**、話をしているうちにどんどんおおごとになったことがありました。

その日はかなり強い風が吹いていて、車も揺れていました。相手はたぶん、その揺れを、接触されたと勘違いしたのだと思うのですが、あまりに確信をもって接触したと強く言い張ります。私は自分の記憶に確信がもてないので、相手がそこまで言うのなら、保険で払えばいいかなと思って、認めてしまったんです。

その時は少し塗装するにしてもせいぜい3万円ぐらいだろうと思っていたのですが、請求書を見たら30万円近い金額でした。何か所もぶつけたことになっていて、しかも反対側まで……。あり得ないですよね。それを見た時、さすがに、この人は嘘をついているということがわかったので、保険会社にちゃんと調査してくださいと言いました。

それで保険会社が調査したら、**そもそも接触すらしていない**ことがわかりました。

為末　今の話は、フェイクニュースにも通じるものがあって、興味深いですね。

感情が記憶を左右する

今井　フェイクニュースも、もはや社会として、何が本当で、何が本当ではないかがわからない状況になっているということですよね。そこにはやはり感情というものの影響が大きいと思います。人の記憶は、本当に大きく感情に影響され、ゆがめられます。

一般に、客観的に判断できることは大事だと言われますし、批判的思考が教育の目標にもなっています。でも、実は、それはすごく難しいことなのです。もちろん、難しいからやらなくていいということではありません。問題は、その難しさがほとんど認識されていないのではないかということです。一般的に、**どんな人でも、感情と切り離して客観的に考えるということは、ほぼ不可能です。**しかし、あまりそういう前提に立たずに、批判的思考ということが言われます。

為末　いちばん危ないのが、客観性を手に入れたと思った時の意見の揺るぎなさ（笑）。自分は客観的だと思っているから非常に厄介ですね。そう考えると、僕らが到達できるところは、せいぜい「客観的ではないかもしれない」と疑いをもつところまでかもしれない。

今井　自分を振り返る時、人間はいかに自分の価値観や感情に支配されているかということを認識することは、非常に重要ですね。

『クラシック名曲「酷評」事典』（ニコラス・スロニムスキー編　藤村奈緒美訳　ヤマハミュージックエンタテインメントホールディングス）という面白い本があります。ベートーベン、ショパン、シューマンなど、今は神様のようにあがめられる作曲家の名曲を、当時の批評家が酷評したものを集めた本なのですが、「こんなことまで言うの！」というくらいひどいことが書かれています。

そこから見えてくるものは、人は、馴染みがないものに対してどう反応するかということです。人間の中にも、新しいものを受け入れようという人と、絶対受け入れたくないというコンサバティブなマインドをもった人がいます。ベートーベンにしてもブラームスにしても、その時代に全然顧みられていなかったかというと、そうではなく、かなり評価もされていたはずです。

でも、当時にしては革命的な音楽だった。新しいものを受け入れることを、感情的にすごく嫌だと感じた批評家は、その感情的に嫌な感じを、ありとあらゆる表現をもって、正当化しているわけです。

為末　でもベースにあるのは「なんか、これ嫌い」という感情……。
今井　しかも、面白いことに、最初はこれでもかというほど酷評していた批評家が、十数年後、同じ曲に対して、最初の酷評をまったく忘れたかのようにほめまくっている。それは、聞きなれたということではないかと思います。

変化のスピード

為末　変化という点ではアスリートの世界は変化が遅いです。ルールがあまり変わらないものが多く、陸上競技などの古い種目では、最適な戦略もだいぶ出尽くしているということもあります。そうなると工夫をしたり、ルールそのものを疑うというよりも、**既存のルールにどれだけ最適化するかというメンタリティーになりやすい**です。
今井　それは社会に出た時のパフォーマンスに影響しますか?
為末　そうですね。陸上に特化した性格になると、個人競技なのでなんでもひとりでやろうとしたり、ルールと勝敗が決まる条件が明確なので、曖昧な評価制度にうまく馴染めなかったりします。案外柔軟さにも欠けて、社会で苦労することも少なくないです。それはルールが変わって自分を変えなければならなくなった経験が少ないからかなと思っています。

比較的新しいスポーツはアメリカンフットボールで、だいたい40〜50年くらいの歴史があります。ルールも少しずつ変わっているので、最適な戦略も変わります。

このルールの変わり目に何が起こるかを見てみると面白い。例えばスピードスケートでスラップスケートという刃と踵が離れる靴が誕生した時に世界の勢力が一気に入れ替わったことがありました。適応できた人とできなかった人が見事に分かれたんですね。

今井 科学ということを考えると、人間の科学の進歩は、本当にパラダイムシフトの繰り返しです。そのパラダイムシフトを起こした人は、その時代の人が見えないものが見えていて、本当にすごいと思うけど、へたをすれば命にかかわります。

例えば地動説を唱えたガリレオ・ガリレイは宗教裁判にかけられました。ケプラーもガリレオ・ガリレイも、あの時代の人は逮捕されたり、本当に危ない目にあいながら、信念を曲げずに論文を発表したりしていました。

為末 命がけですね。

今井 酷評されるなどというレベルの話ではないですよね。命がけで、自分が真実だと思うことを発表しなければならなかった。

高跳びの背面跳びは失敗から生まれた

為末　スポーツで、大きいパラダイムシフトはあるかなあ……。

面白い話では、もうずいぶん昔のことになりますが、高跳びはもともと背面跳びではなくて、はさみ跳びといって、足から跳んでいたんです。その後、腹ばいになって跳ぶベリーロールという方法が主流になっていくのですが、そこに背面跳びという革命をもたらしたのがフォスベリーという選手です。

僕は、アメリカに行った時、フォスベリー選手に直接お会いする機会があって、話をうかがったのですが、彼はベリーロールが苦手だったそうです。それで一世代前のはさみ跳びで跳んでいたそうなのですが、ある時失敗して背中から落ちてしまった。ところが彼はそれが面白いと思って密かに練習していき、１９６８年のメキシコシティオリンピックで、金メダルを取りました。

その後、みんなが背面跳びをするようになるわけですが、それが生まれたきっかけが失敗だったというのが面白いところです。

今井　確かにパラダイムシフトは、多くの場合、それをど真ん中でやっている人より、周辺でそれに関係することをやっている人が起こすことも多いと思います。

為末　素朴な疑問とか。

当然の間違え方

今井　そう。周辺にいると、別の見方ができるということもあるかもしれません。

教育分野でも、その中に算数科教育法や数学科教育法などがあり、どうしても縦割りになりがちです。でも算数教育を、算数教育の分野だけで語ることができるかというと、まったくそうではありません。子どもが算数でつまずくというのは、もっと根本的なところで、ことばや数の認識のズレというものがあります。

それは、子どもの頭が悪いからずれてしまったということでは決してありません。**認知の面からみると、子どもの概念の誤解はむしろしごく当然のことなのです。**

人というのは基本的に必ず、自分の知っていることを拡張し、一般化することで、それを知識とするわけです。ですから、一般化というのはとても大切なのですが、一方でやっかいな落とし穴にもなります。

ことばは事例からの一般化によって学習が可能になります。算数も同じです。例えば小学1年生に硬貨を見せて、「この中から34円を取ってください」と言うと、3円と10円と4円を取って、それを34円だと言い張る子がいました。これには、学校の先生も困るわけです。こんなこともわからないのか、と。でも、私は、その子がなぜそういうふうに考えるか、推測することができました。

どういうことかというと、子どもはまず、1、2、3、4と数えることを習います。そして10を超えると、11、12と続きます。この12というのは、10＋2ですから、これを一般化すると、34というのは、3＋10＋4というふうになるわけです。ですから、そう考えるのは自然なことなのです。

為末　ある意味、ロジカルですね。

今井　すごくロジカル。逆に、30というのは3×10ですから、むしろそちらのほうが、どこから突然掛け算が出てきたんだという話なわけです。

為末　そういう子どもたちは、どのように新しい知識を手に入れるのですか？

思い込みからの脱却

今井　そこはなかなか難しくて、私たちの認知科学でも、大事な研究分野なのですが、思い込みから脱却するというのは、簡単ではありません。人から正解を教えてもらっても脱却はできないのです。唯一、**脱却する方法は、自分でおかしいということを納得すること。**それしかありません。

為末　そうすると、気づきとは何かという話ですね。どうすれば、人は気づけるか……。

今井　そうですね。34円が数えられなかった子も、先に問題を解いてしまった同級生から正解を教えてもらったのですが、納得はできなくて、「真ん中に10がない」と言い続けていました。でも、結局、その子は脱却できました。

それは、その子に個別についてサポートしてくれた補助の先生がお金やタイルなど、いろいろな道具を使って、ひとつひとつ「これはどうなの?」というのを確認して、わかるところまで戻るというプロセスを踏んで、子どもに自分で考えさせたからです。

その中で、タイルでは正しく34をつくれても、お金ではできなかったりするということがありました。お金でできないとまたタイルにもどる。それを繰り返しているうちに、その子どもはタイルでわかったことをお金にも使えるようになったのです。

知識を学ぶということは、あることがわかると、その瞬間から全部わかるようになるというものではなく、できる、できないの間を「行きつ戻りつ」なのです。少しわかったように思っても、実はあやふやで、ちょっと対象が変わるとまたできなくなるということが起こります。

為末　その繰り返しの間に、伴走してくれる人がいるというのが大事ということでしょうか。

今井　そう。でも、先ほどお話しした子どもの場合は、その伴走の人がすばらしかった。なぜならその人（先生）は、決して正解を教えなかったからです。

その子が自分で導き出せるまで待つ。でも、自分で導き出せるように、素材や環境は提供する。これを私は「足場かけ」と呼んでいます。

その子も、知識がゼロなわけではないのです。だから、その子どもが自分で数えるための法則を発見できるように素材を提供し、自分で発見するまで辛抱強く待ったわけです。

早くわからせる方法と、将来伸びるやり方は矛盾する

為末　今のお話はとても興味深くて、選手の気づきの話にもつながるかもしれません。強豪校を出た選手が、自由にやりはじめると弱くなってしまうことがあります。

おそらくコーチが「これが正しい」というやり方できっちりやっている中ではパフォ

ーマンスを発揮できるのですが、ひとつひとつの練習が何を意味しているか本人もよくわかっていないのだと思います。だから、言われたとおりにやってできていたことを、自分でやろうとするとうまくいかない。

じゃあ、最初から選手に考えさせるといいように思うのですが、先ほど先生がおっしゃったような、正解を教えず自分で気づかせるという伴走のプロセスはとても時間がかかります。中学や高校の3年間でそれをやると、その間はあまり伸びなくて卒業までに力を発揮しきれないということがでてきます。

早くわからせる方法と、将来伸びるやり方は矛盾するのかもしれないと、今、先生のお話をうかがっていて思いました。

今井　おっしゃるとおり。為末さん、本当に鋭いですね。

一般的にはみなさん、効率的に学ぶということをとても大事だと考えます。教育をビジネスにしている人たちは、効率的な学びを至上命題とします。でも、その効率的な学びが何かというと、もちろん短期間でいい成績をとれることがよいという前提です。

それは、ある種の方策として必要なのだと思います。例えばアメリカの大学に留学するから、ある時期までにTOEFLで何点を取らなくてはいけないなどという時にはもちろん必要です。

でも、それだけが目標になってしまうと、その後に困ることになるかもしれない。大学受験もそうで、行きたい大学に合格できるよう対策を立て、準備するのはよいことですが、それだけを目標にすると、入学後に燃え尽きてしまって、その先、自分で独り立ちして学べない人がいます。

効率化のリスクとポイント

為末　今のお話に関連して、**本を読んで得る知識と、まとめサイトやSNSなどから入ってくる知識の大きな違い**のことを考えました。

僕は研究者の方が一般向けに書いた本が好きなのですが、よい本というのはあるひとつのとてもシンプルで素朴な疑問に対して、さまざまな角度からたくさんの検証をしています。そうすることで、輪郭が浮かび上がってきますし、新たな疑問が浮かぶこともあります。

トマ・ピケティの『21世紀の資本』（山形浩生、守岡桜、森本正史訳　みすず書房）も象徴的だったと思うのですが、あれも結局のところ、働いて得られる対価より、もっている富が生み出す対価のほうが大きいのではないかというとてもシンプルな疑問を、あれだけさまざまな角度から説明しています。

「こんなことは計算式を見ればわかる」「あんなに長々と読むのは非効率だ」と言う人もいるかもしれませんが、ひととおり最後まで読み切ると、シンプルな疑問に対する答えの立体感や感触が、まとめサイトなどでパッと読むものとは全然違っているように、僕には感じられます。

今井　サマリーを見て、パッと理解できて、それですむ話なら、それでもよいのではないかと思う場合もあります。私たちが生きている時間には限りがありますし、生きている時間とまで言わなくても、常に何事においても時間の制約というものがあります。選手にも、身体的なピークがあるでしょう。

為末　そうですね。効率化は必要です。

今井　だから効率化は大事だと思うし、もし、効率を考えず、あることについて、無制限に時間をかけようと思ったら、そのかわり別の何かは切らないといけません。ただ、完全にシャットアウトしてしまうと、視野が非常に狭くなってしまう。

要するに時間のかけ方だと思います。自分にとってプライオリティーが低いものは簡単に、必要性に応じてミニマムに理解したり覚えたりするということでよいと思います。
私もネットの情報をそのようにして使っています。あまり掘り下げなくてよくて、ただ常識的に知っていないと困ることについては、ウィキペディアもよく使います。ある程度、視野は広げておきつつ、大事なことだけに時間をかける、そのバランスは大事だと思います。

それからもうひとつ、これはどうしても自分でやらないといけないということと、これはほかの人にやってもらえばいいかなということを見極めるために、周辺も知っておかないといけません。

心理学は分野としてひとりですべて理解するには広すぎるので、取捨選択せざるをえないところはあるのですが、だいたい知っていればいいこと、自分でどこまでも徹底的に深掘りすること、それから自分が深く研究するよりこの人にやってほしい、あるいは一緒にすることができたら、すごくよい研究ができること、という3つの選択肢をもっておくということは、とても大事だと思います。

為末　何年か前から考えているのは、**知っている人を知っている、ということの大切さ**です。この分野はこの人がよく知っているとか、この人に話を聞いたらよいことがわかるという嗅覚のようなものは大事だと思っています。

「この本は信じられる」という勘

今井　私も、授業で学生に言うのは、教育や学びについてたくさんの本がある中で、本当に重要なのは「この本は信じられる」という勘だ、ということです。

為末　まさにそれです！

今井　私は学生にそれを身につけてほしいと思っていますし、私の授業はそのためにあります。本を深く読んで学ぶことは大切ですが、**本をパッと見て「これは読む価値がある」と選択できる能力**というのはさらに大事です。

為末　それはどういうところを見ますか？　**僕は本の中で大きな問いが語られているかを見ることが多い**のですが、自分の好みがだいぶ反映されているかもしれません。

例えば、以前話題になった『渋滞学』（西成活裕著　新潮選書）という本は、なぜ渋滞が起こるのかというところからはじまって、物事がリズムよく動くうえで何がボトルネックとなって動きを滞らせるのか、つまり「滞る」ということにつながっていきます。いろいろなものの詰まりを分析していてとても面白かったです。

今井　大きな問いにも結びつくかというのは、本当にそのとおりですね。ただ、かなりの量の読書体験がないと、その勘というのは生まれないと思います。マニュアルをつくって、こういうふうにやりなさいと言っても無理なことなので……。

為末　最近だと、ネットで少し過激な主張があると、その方向にずるずると引きずられてしまうところがありますよね。YouTubeなどはその典型で、自分が見ている動画の傾向がおすすめで出てくるので、そこを入口に陰謀論などにハマってしまったり……。

今井　私は都内に住んでいないので、自分の生活範囲に大きな書店があまりなくて、ついついAmazonのおすすめに頼ってしまうところがあるのですが、気をつけないと本当に偏っていきます。

為末　取捨選択してといっても、あまり制限をかけると広がらないし、情報選択のバランスは難しい気がしています。「好奇心をもって、自分の興味を掘り下げなさい。夢中になりなさい」と言う一方で、「だけど、思い込みに捉われないように、少なくともそれから距離を取りなさい」と言っているわけです。この**さじ加減をうまくやれる感覚をもつことが、これからの学びで大事**だと思います。

でもそれをメソッド化したとたんに陳腐になってしまうこともよくわかっていて、どうしたらこのバランス感覚をうまく伝えられるのでしょうか。

今井　さじ加減は、基本には、自分で探すしかないですよ。それはやはり、その人のパーソナリティや好みなどにもよりますし……。

よく一般講演を聞いてくださったり一般向きの著書を読んでくださった方たちから、「聞きたいのはメソッドだ」、子どもの教育についても、「何をどういう比率でやるか」ということを教えてほしいと求められたりするのですが、すごく困ります。「だって、私、あなたのお子さんのこと知らないし」と……。

為末　やはりそうですかね。僕もアドバイスをすることがありますが、一般化してメソッドのようにすると本質からずれていってしまうと感じるし、個別化すると一対一にしかならないので効率が悪くなってしまいます。

コスパ、タイパは本当に効率がいいか

今井　学びで、よく効率ということが言われますし、本章の冒頭でもお話ししたように、多くの人は、学びは単調に増加していくものだと思っています。でも、実はそうではありません。最初の頃は非常に時間がかかるので、その時にはしっかり時間をかけて解決して

おくと、あとで、すごく加速するということがあるのですよ。

先ほどの34円を出せなかった子は、あの時に自分で考えてできるようになったことで、その先は自分でも学んでいけるのではないかと思います。これがもし、答えを教えて、テストでもそこそこいい点がとれて、できたことにしてしまったら、その後、算数がまったくわからない子になってしまったかもしれません。

結局、自分で思い込んで一般化してしまった誤った概念は、いくら正しい答えを教えてもらっても、修正が容易ではないのです。ですから、最初に一般化した知識を使う練習をして、その知識をどういう状況で使ったらよいかあるいは使ってはいけないかということを、それこそ感覚的にわかるように身体に接地させていかないとだめではないかと思っています。

為末　先にも述べましたが、自分は何をよくわかっていて、何がわからないかの違いをわかることもすごく重要なことではないかと思います。

僕も自分がよくわからなくなっている時、いろいろと試していました。最初はぼんやりとしていますが、次第に実感としてできていること、できていないことの境目がわかるようになります。そうすると何をもとにして積み上げたらいいかがわかります。

東浩紀さんは「何かを指し示すことば」と形容されましたが、おそらく身体的に実感があることと、そうではないことの違いに比較的敏感なんだろうと思います。

今井　本当にそうだと思います。一般的な風潮として、いまはやはり、コスパ（コストパフォーマンス）やタイパ（タイムパフォーマンス）というものが大事にされています。

でもこれまでお話ししてきたように、幅広い状況を時間をかけてたくさん経験しているからこそ、さまざまなことに柔軟に対応できるのだと思います。いちばん効率よく中心の部分だけ教えたら、そこから離れられないですよね。

為末　僕は「効率よく夢を見つける方法はありますか」という質問を受けたことがありました。それで「一回、失敗してください」みたいな答えを……。

今井　効率よく夢を見つける……、すごい（笑）。

為末　なんでもいいからひとつ武器があるのはとても有利なのですね。この場合の武器というのは何年もかけてつくり上げた自分なりの技術のことです。

例えばスクワットはただ腰を下ろして立ち上るだけの運動なのでとてもシンプルですが、筋肉の連動には無数のパターンがあり、必要なところに必要なだけ力を入れ、それ以外の力を抜くと美しい形がつくれます。それができるようになると、何かを足で押す動きはすべて変わってきます。例えば陸上のスタートダッシュが効率よくなります。

つまりあることの精度を高めると、さまざまなことが引きずられて精度が高まるのですが、武器の精度がしっかりと磨かれていないと、ほかに応用することも難しくなるのではないかと思います。

デジタルの落とし穴

今井　近年、デジタルを使用した効率的で魅力的な学習ツールというものもいろいろ開発されています。デジタルは使いようですが、落とし穴でもあると思うのは、デジタルは一度に、非常にたくさんの情報を提供できるということです。それは、学びにとって、必ずしもいつもプラスになるとは限りません。本書の冒頭で、為末さんが映像は情報が多すぎるとおっしゃっていました。まさにそれです。
たくさんの情報の中からあるエッセンスだけに注目するというのは、学びの初心者にとって、とても難しいことです。例えば子どもに魅力的な動画を見せると、興味はもちますが、そこからどれだけ学べるかというと、興奮するだけで終わってしまうことがよくあります。

ですから、何でも情報が多ければよいとか、ビジュアルが魅力的ならよいとか、そういうものではありません。為末さんが映像よりことばのほうが有効なことがある、とおっしゃっていたことと通じます。

あることに興味をもたせるという点ではよいかもしれませんが、**リッチで刺激的な素材を与え続けることで興味を持続させようとすると、思考停止になってしまう**ところがあります。ある種の中毒ともいえるでしょうか。デジタルに頼りすぎると、文字が読めなくなる、読もうとしなくなるというのは、子どもも大人も同じだと思います。

為末　僕も今のお話に近いイメージがあります。筋肉は刺激を入れると太くなるので、個別に電気刺激を入れて筋肉を収縮させると、太くはなります。昔から電極を貼って筋肉をピクピク収縮させる器具が一般の方向けにもありますよね。ダイエットや、身体の形をつくる目的であればそれでもいいですが、実際にスポーツの現場で使えるかというとまったく別物です。

つまり、**動きの中で筋肉を連動させていくことが大事で、一部の筋肉だけを個別に切り出して鍛えても使えないのです。**

僕ら自身も、身をゆだねていれば学習できるシステムの中にいると、学んでいるのか、学ばされているのか、だんだんわからなくなります。最近は人間が何に夢中になりやすく、継続しやすいかをデータで取れるようになっていますから、夢中と中毒との境目がつきにくくなっています。

競技で役に立つ技術は大体単純な動きです。**あまり変化のない単純な動きの繰り返しに対して、意識をそらさないようにし続ける力を鍛えておく**ことが大切です。これは鍛え続けることで向上します。

また、外部の刺激によって集中することを覚えてしまうと、外部からの派手な刺激がなければ、集中ができなくなります。自ら壁のなにげない一点を見つめるようなことがある程度できないと、筋肉の一部位に意識をむけて継続することはできません。

刺激がたくさんあり、どんどん向こうから情報がやってくる時代では、「**自ら集中する対象を定める力が失われること」がいちばんの問題点**ではないかと考えています。

情報処理を深くする

今井　今のお話は本当に大切ですね。実は、新型コロナウイルスの感染対策で、オンライン授業をしなければならなくなった時、最初はいろんな試行錯誤を重ねました。オンライ

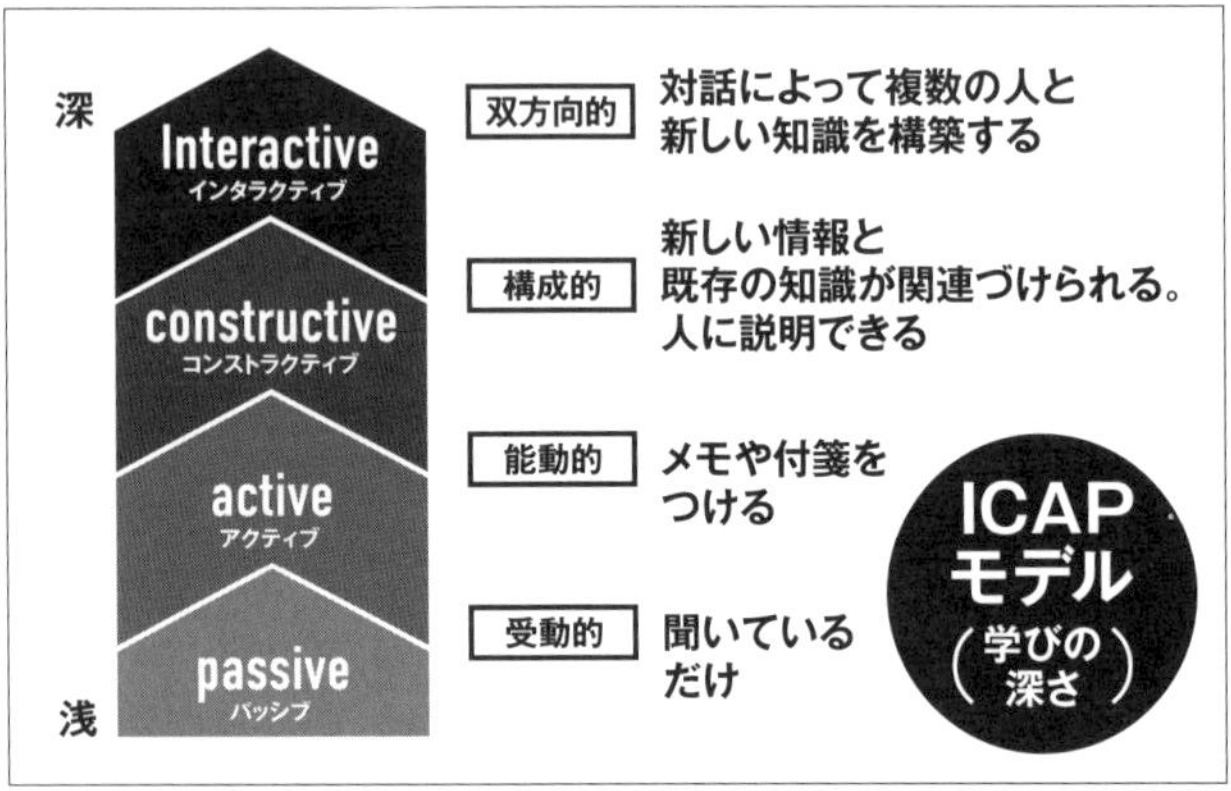

ンでは、対面の授業と同じようにレクチャーすると、ただ情報を供与するだけになりがちです。それでは情報が過ぎ去っていくだけで、学生の中にはほとんど何も残りません。

そこで毎週、宿題を出して、授業の前にその宿題についてグループで話してもらうということをやりました。いわゆる反転授業というものです。これは小学生では難しいと思いますが、大学の授業では非常に有効だということがわかりました。今は授業は対面に戻りましたが、それでも反転授業をするようにしています。鍵となるのは、いかに情報処理を深くするかという点です。

為末　情報処理を深くするというのは？

今井　主体的な学びの階層モデルというものがあります。アリゾナ州立大学のミキ・チー教授が提唱したICAPモデルというものなのですが、いちばん下の階層がパッシブ、つまり、受動的に聞いているだけで、そうすると何も学習されません。

そのひとつ上の階層がアクティブで、これは何かというと、教科書を読んでいる時にマーカーで線を引いたり、付箋をつけたり、ちょっとしたメモをつけるといった、みなさんがよくやることです。アクティブというとすごくいいと思われるかもしれませんが、実はICAPモデルでは下から2番目の能動行動です。ICAPモデルでは、パッシブよりはマシだけど、学びの深さとしてはたいしたことはないとされているのです。

さらにその上は、アクティブで整理した内容や知識を使うコンストラクティブ（構成）という段階です。いちばんシンプルなコンストラクティブの形は人に説明すること。説明するというのは、知識を自分なりに解釈して理解し、まとめないとできません。丸暗記した内容をオウム返しのように人に話しても、説明にはならないわけです。ここまでくるとアウトプットの段階になります。つまり、**学びには、アウトプットが必要だということ**です。

ICAPモデルでもっとも深い学びをもたらすとされるインタラクティブモードは、複数の相手がいて、その相手と一緒に新しいアイデアを構築するというものです。自分の頭だけでなく、人の頭も使うことで、複数の視点で、新しい知識を構築できるというモデルです。

ただ、いつもインタラクティブであることがよいかというと、そんなことはないと思います。為末さんも以前、ひとりで考えることも大事だとおっしゃっていて、私もそのとおりだと思います。だから、学びの中でインタラクティブが効果的かは、学ぶ内容や状況にもよるでしょう。

でも、少なくとも、アクティブとコンストラクティブを隔てる線というのは非常に大事です。学習者は、テキストをマークしたり、色分けしたり、ちょっとメモを取ったりして、けっこう満足して、能動的に学習した気になってしまいます。けれど、本当は、自分でアウトプットをしないと、知識は定着しません。

書き、話し、身体的に学ぶ

為末　なるほどねえ！　学ぶということについて、概念上で学ぶだけでなく、もっと身体的に学ぶことをしたほうがよいのかもしれませんね。経験したことを**日記に書いたり、人に説明したりするような、一見すると学びとは関係ないようなことも、実は学びに直結し**

ているところがあるのだと思いました。そういう意味でも、自分の体験を言葉にするというのはひとつの手ですね。

今井　なんでももっと書いたほうがいいですよ。書いたり話したりして、アウトプットすることは、選択肢から回答を選ぶことよりずっと大事なことだと思います。

それに英語学習などでも、インプットだけだとなかなか定着しないです。やはりアウトプットしないと。ですから、読書ももちろん大事ですが、**読んだことを、自分の問題意識と関係づけて文章に書く**などして発信していかないと、読んだだけで終わってしまう。為末さんはSNSやブログで書かれているので、それはとても大きいと思います。

私も、記憶力がすごく悪くて、昔から人の顔も名前もあんまりよく覚えられないのです。唯一、記憶に留めておける方法は、それを使い続けることかなと思いますね。

英語は必要なので、毎日使っています。だから英語はだいぶ定着しましたけれど、やはり1年使わないと忘れます。忘れるといえば、大学時代に一時期、ドイツ語をかなりやっていたことがありました。ドイツ文学が好きで、大学院の頃までは、ドイツ語でトーマス・マンなどずいぶん読んでいたのですが、当時はインプットばかりの勉強でした。その後アメリカに留学してからは全然ドイツ語を使う機会もなくて、すっかり忘れてしまいました。もう今は何も残っていない感じです。

為末　やはり、使わないと忘れてしまいますね。

アウトプットの角度

今井　ゼロではないと思うので、もう一度やれば、まったくゼロからはじめるよりはマシかもしれませんが、限りなくゼロに近くなってしまいました。使い続けるというのは重要だと思いますね。

外国で幼少期を過ごした子どもが、現地でお友達とペラペラ話していたのに、帰ってきて1年もしたらもう何も話せなくなってしまうという話をよく聞きますが、それもそうなのだと思います。使わないものを保持するというのはとても難しい。人間の認知から言うと、保持しようと思ったら、それはもう使い続けるしかない。

算数もそうですよ。小学校でも中学校でも、一度、学習した内容は1年後でも覚えているという前提で、いきなり次のステップをはじめてしまいますが、子どもたちは1年前に習ったことを使わないでいたらほぼ何も覚えていません。

以前、中学の数学の授業を見に行った時もそうでした。3年生で二次関数を学ぶのですが、先生は、1年生の時に習った一次関数をみんな覚えているだろうということで新たな単元をはじめようとしました。でも、生徒たちに関数は何かと聞いたら、彼らは、XとYが出てくるという認識しかありませんでした。使っていなければ当然そうなりますよね。

為末　知識は、忘れないためには使い続けるしかないということでしょうか。

今井　そうなのです。**カリキュラムもそういうふうにつくるべきだと思います。**つまり、一度学習したことを、少し違う文脈で、ほかのものと組み合わせたりしてもう一度使う。数学で学習したことを、今度は理科の授業で使ってみる。そのようにして学習したことを使い続けるしかない。そうでなければ、人の記憶の仕組みからいって、覚えていることはできません。

私の授業では、受動的に授業を聞くだけでは学生たちはほとんど覚えていないという前提のもとに講義や演習をしています。話を聞くだけでは何も残りません。**記憶に留めるためには、何度もアウトプットするしかありません。しかも同じ文脈で、同じことを繰り返してもだめ**なのです。

為末　さまざまな角度で、アウトプットをしていくということですね。

今井　前章でも、エキスパートの人は、異なる状況に対して、非常に応用が利くという話をしましたが、これは、人に答えを教えてもらっていてはできるようになりません。

算数の教え方で気になるのは、教科書が色つきになり、ビジュアル的にとてもきれいになって、この先はデジタル教科書なども出てきて、どんどんわかりやすくなっていくことでしょうか。わかりやすくすると、その分、自分で考えなくても見ればわかるようになってしまいます。ビジネスのプレゼンテーションのように……。

短時間でツボをわかってもらう必要があるとか、アピールをするという時には、**パッと見てわかることは重要ですが、それを子どもの学びという文脈でやってしまうと、子どもはそのようにしてもらわないと、何も学べなくなってしまいます。**

また、そうやって学んだものは、応用も利かなくなります。少し場面が変わると使えなくなるという落とし穴があるので、何でもわかりやすくすればいいわけではありません。

もちろん、つまずいている子に、そのようなステップを踏んで、わかりやすく教えるということは意味があります。でも、そこで終わってはだめなのです。そこまで行けたら、今度はそれを外していく訓練をしないといけません。

トップ選手を真似るとパフォーマンスが落ちる

為末　トップ選手の真似をすると競技力が低下するということがよくあります。みなさんもゴルフやランニングであの選手みたいにやってみたいと真似をして、むしろ動きがよくわからなくなったことはないでしょうか。

先ほどお話しした伊東浩司さんは走り方が独特で、上半身をねじりながら腕を振るというスタイルでした。それで、当時、伊東選手を真似て、上半身をねじるスタイルが非常に流行りました。伊東選手はベルトをしていたので、なぜかみんなベルトまでしていたんです（笑）。ところが、僕も含めて、真似した選手の競技力が落ちてしまいました。

なぜそのようなことが起きたのか。新人の頃はみな、ある程度同じ型を学んで中央値を目指したほうが競技力が高くなっていきます。ところが、中央値を抜けたあとは、個別性の世界がやってきて、それぞれの骨格に合った動きをすることが大事になってくるのです。ですから、大学で足が速い人レベルの平均値であればみんなが目指すことができるのですが、**そこから先の日本一の選手は、個性に突き抜けたような例なので、ただ動きを真似ても本質を真似ることが難しい**のです。

伊東浩司さんのケースで言うと、骨盤の幅が広くて肩幅が狭く、走ると骨盤が回転するのでそれを制御する必要があったのだと考えています。例えば綱渡りで、棒をもつとバランスを取りやすいのと同じです。肩幅が大きければ、少し揺さぶるだけでも、生み出すエネルギー量が大きく、骨盤をコントロールしやすい。一方、肩幅が狭い場合、思い切り肩を振らないと、大きな骨盤を揺さぶることができません。このため、伊東浩司さんは上半身をねじるようにして肩を回転させ、横に広い骨盤を回していたのではないかと思います。

つまり骨格が違うと腕振りもまた違うはずなのに、ただ肩を揺さぶるという見た目だけ真似をした結果、競技力が落ちてしまいました。その人の特徴の背景にそうならざるを得ない何かがあった場合、そこまで含めて理解しないと、とても真似なんてできないんですね。

今井　今のお話は、研究者にも通じるところがあります。研究者の場合、大学の職を得るくらいのレベルまでは、一般的なお作法がいろいろあって、そのとおりにやっていけば平均値までは行けると思うのです。でも、ずっとお作法どおりのことをしていても、後世に名を残す学者にはなれませんし、トップの研究者がやっていることをただ真似ても、もちろん、そのようにはなれません。

自分で気づきに行くことの大切さ

為末　今回、いろいろなお話をうかがい、「気づく」ということについて改めて考えました。今、世の中は個人が自由に活動できるようになっていて、昔の体育会のように「いいからやれ」と言われることは少なくなっていると思います。それはよいことですが、同時に周りから自分に気づかせてもらう機会もまた少なくなり、「自分で自分に気づくこと」がより大切になっていくのだと思います。

例えば仕事やスポーツは結果で評価されます。結果を観察し、どうすればよかったかを内省し、次に生かすことが学びです。自分に気づくとは、この結果を出すプロセスで起きている自分自身のエラーに気がつくということです。

これは単にアウトプットで問題があったことに気づくだけではなく、そのプロセスでの自分の癖に気づくことだと思います。やっていることの問題に気づくことだけではなく、その問題を見る私の癖に気づくことが大事だと考えています。

そして、自分で気づき続けるということは、かなり難しいですから、外からのフィードバック（他者の指摘、内省）を反映させ、自己修正できるかどうかがすべての鍵を握ります。このように「自分に気づき続ける」ということが、これからは問われるのではないかという気がします。

学び方を学ぶ

為末　また、全体をとおして思うのは、**学びというのは2階建て構造**ではないかということです。

最近リスキリングということがいわれています。そこでの学びは、「今みなさんはこの仕事にぴったりハマっていらっしゃいますけれど、この仕事はなくなります。次はこの仕事があるのでこっちにハマってください」と言われて、「せっかく最適化したのに、なんだ、そっちに行かないといけないのか」と一からやり直すというイメージです。

でも、我々がこの本で話してきた学びというのは、もう少し根本的な、**人間の学びの変化に目を向けてみよう**というものです。

根本部分の上にはさまざまなスキルが乗っていますが、それらは固定化されたものではなく、幅広い状況に応用可能なものにしていくこともできます。さらに、1階部分の学びは終わったと、みんな思っているかもしれませんが、実はこの部分もまだまだ開拓できます。

今井　結局、**学びで大事なことは、学び方の学び**なのだと思います。求められるスキルは時代によって変わります。今はデータサイエンスが大事だと言われていますが、10年後もそうかはわかりません。ですから、特定の知識やスキルを習得するより、為末さんがおっしゃったように、しっかりした土台をつくり、そこからどちらの方向にも行けるような学び方を学んでいく必要があります。

ただ、人はすべてを学ぶことは不可能です。たくさんの方向性が選択肢としてある中で、自分の特性を考え、どちらのほうにいくと楽しく学べるか、自分の指向性のようなものを築いていくことも、学びの中ではとても大切だと考えています。

おわりに　今井むつみ

モア・イズ・ベターかレス・イズ・モアか

人間は実に多くの思考バイアスをもっています。そのひとつ——もしかしたら最大のものかもしれません——が「モア・イズ・ベター」(More is better)を信じるバイアスです。何でも、多いほうがよい。資源、資産は多いほうがよい。知識も多ければ多いほどよい。

これはほとんどの人が同意する共通認識です。この認識は、さらに、個人の学び方にも、社会の教育観にもダイレクトに影響を与えます。今はやりのことばはリスキリングとタイパ。どちらも、「モア・イズ・ベター」の考え方が根底にあります。スキルは多いほどよい。だから新しいスキルを学び直そう。時間は限られている。その中で最大限に知識を「入れる」には時間を効率的に使うことが最重要になる。だからできる限り短い時間で知識をインプットするタイムパフォーマンスを上げることが、「よく学ぶ」ことになる。

「モア・イズ・ベター」バイアスはこのような信念につながり、リスキリングやタイパ信仰という現代の潮流をつくり上げていったわけです。

本書で為末さんがお話しされていたことの多くは、モア・イズ・ベターとは逆向きのベクトル上にあるように私には思えます。まず1章では、ことばと映像を比較し、映像を見せるよりもことばで伝えたほうが有効な場合があるということを話されました。これはまさにモア・イズ・ベターの反対です。映像は情報をリッチに含みすぎている。だから学習者は時に、情報に幻惑されてしまい、そのどこに注目し、取り出したらよいのかがわからなくなってしまうのです。

言語は、現実に起こっている多層的で一度に処理するには豊かすぎる情報をすべて表現することはできません。どこかひとつの次元に注目し、そこだけ残してあとは捨てる。残した情報はデジタルに離散量として扱って情報量を圧縮する。

例えば、「アカ」ということば。私たちは「アカ」という色が現実として存在すると思っていますが、「アカ」ということばにした時点で、対象がもつ手触り、質感、模様、形、匂いはすべてそぎ落とされ、さらに、ワインのアカ、イチゴのアカ、消防車のアカなどそれぞれの対象がもつアカのバリエーションは均一化されて、情報量が多大に減縮されているのです。

人間が情報処理能力と記憶能力の制約の範囲内で情報を扱い、記憶し、学ぶことを言語が可能にしているといってもよいでしょう。つまりレス・イズ・モア（Less is more, 小は大に勝る）なのです。

人間の子どもが言語を学習する時も、発達の大事な局面でしばしばレス・イズ・モア原理が働きます。

世界に内包される情報の多くが減縮した言語であっても、乳幼児が一度に習得するには複雑すぎます。言語を理解するには、音を聞きとり、連続的な音の連なりを単語に区切っていき、状況の手がかりと自分の少ない知識を使って単語の意味を推論します。同時に、単語がどのような規則で関係づけられ、文として意味を成していくか、つまり文法の処理（これを専門的には構文解析と言います）もしなければなりません。

赤ちゃんの限られた情報処理能力では、とてもこんなに複雑な情報を一度に処理することはできません。しかし、赤ちゃんは、自分の情報処理能力の限界を逆手に取ります。情報を入れるウインドウを小さくして、一度に少しの、処理しやすい情報しかインプットしない。それによって、身体感覚に紐づけられた（接地した）最初の知識を自分でつくります。発達によって情報処理のキャパシティが増えていったら、それに合わせて徐々にウインドウを広げていき、より多くの複雑な情報を入れるようにしていきます。

このように、小さくはじめて知識を自分でつくり、推論によって知識を拡張し、体系化していく。だから母語の知識は身体に接地した知識、つまり「生きた知識」となります。

「モア・イズ・ベター」のバイアスは「学習はリニアに進展する」という別の信念につながっていきます。知識をたくさん入れれば入れるほど、知識は増加し、学習が進むという考えです。このモデルでは、学習者が間違いや失敗をするということは考慮されていません。しかし、5章で為末さんがお話しされたことと、私がお話しした認知科学の研究成果は、このようなリニア増加モデルが非常に多くの重要な分野で通用しないことを示しています。

語彙学習を例にとってみましょう。子どもが新しいことばを覚えるペースは最初は非常に遅く、その期間は子どもは多くの間違いをします。これは子どもが新しいことばと対応づけられた事例を観察して、ことばがどのようなルールで一般化（他の対象へ拡張）できるのかを探って試行錯誤をしている証です。子どもは、試行錯誤をしながら、「ことばってこういう役割をするのか」「ことばってこういうふうに使えるのか」ということを探究しているのです。

この時期に、子どもはある種の洞察を得ます。「ことばは世界のモノを名づけるためにある」「ことばはほかの人と意味を共有し、コミュニケーションをとるためにある」「モノにつけられたことばは、形が似たほかのモノにも使える」など。これらの洞察を得ると、ことばを覚えるスピードが急にアップします。

同じパターンがアスリートの熟達の過程にも見られると為末さんが指摘されています。学びが進化し、熟達する時、学習者はインプットを受容し、溜め込んでいるのではありません。能動的に分析し、分析の結果を試し、間違いを犯す。その時、パフォーマンスではいったん後退しているように見える時期があります。しかし、学習者がこの時期を乗り越えるとパフォーマンスが一気に向上することがよく見られるそうです。

モア・イズ・ベターの認識は実際の熟達の過程とは大きく乖離しているのにもかかわらず、社会に広く共有されています。この認識を私が非常に強力で堅固な「思考バイアス」と呼ぶ所以です。

現在、ChatGPT が大きな話題になっています。ChatGPT のような対話型ＡＩの出現によって、プログラムを書けない人でもＡＩを使うことが容易になりました。ＡＩは多くの知識を瞬時に効率よくユーザーに提供してくれます。世の中の情報をデータとして集め、サマリーをつくってくれます。これによって、モア・イズ・ベターの思考バイアスは社会でますます強固なものになっていくでしょう。

一方で、ChatGPTに仕事を奪われないために、人は一生学び続ける必要があるということをよく聞きます。リスキリングもその一環なのでしょう。しかし、学び続ける際のバックボーンはモア・イズ・ベターでほんとうによいのでしょうか？ ChatGPTを活用できる人とできない人。それがAIの時代に生き残るか生き残れないかを分けると言う声も聞こえてきます。しかし、ChatGPTを活用すれば、容易に効率的に熟達者になることが可能になるのでしょうか。そして、その時の「熟達者」の姿とはどういうものなのでしょうか？

本書での為末さんとの対話を通じて私はこれらの問題を改めて考えなおす機会を得ました。この体験を読者の皆様とぜひ共有し、誰もが自分の好きなことに熟達し、生きがいをもって暮らすことができる社会をつくれるように願っています。

為末さん、貴重な機会を下さり、ありがとうございました！

為末大（ためすえ・だい）

1978年広島県生まれ。スプリント種目の世界大会で日本人として初のメダル獲得者。オリンピックには3大会連続出場。男子400メートルハードルの日本記録保持者（2023年8月現在）。現在は執筆活動、身体にかかわるプロジェクトを行う。Deportare Partners代表。

主な著書に『Winning Alone－自己理解のパフォーマンス論』（プレジデント社）、『走る哲学』（扶桑社新書）、『諦める力』（小学館文庫プレジデントセレクト）など。45歳を迎えた2023年、アスリートとしての学びをまとめた『熟達論－人はいつまでも学び、成長できる』（新潮社）を刊行。

今井むつみ（いまい・むつみ）

1987年慶應義塾大学大学院社会学研究科に在学中、奨学金を得て渡米。1994年ノースウェスタン大学心理学部博士課程を修了、博士号（Ph.D）を得る。専門は、認知・言語発達心理学、言語心理学。2007年より慶應義塾大学環境情報学部教授。

著書に『ことばと思考』『学びとは何か－〈探求人〉になるために』『英語独習法』（すべて岩波新書）、『ことばの発達の謎を解く』（ちくまプリマー新書）など。共著に『言葉をおぼえるしくみ－母語から外国語まで』（ちくま学芸文庫）、『算数文章題が解けない子どもたち－ことば・思考の力と学力不振』（岩波書店）など。最新刊で秋田喜美氏との共著『言語の本質－ことばはどう生まれ、進化したか』（中公新書）は大きな話題となった。

構成／田中奈美　校正／田向真一郎
装丁／鈴木貴之　イラスト／やまだゆきひろ

扶桑社新書　473

ことば、身体《からだ》、学び
「できるようになる」とはどういうことか

発行日 2023年9月1日　初版第1刷発行

著　　者………為末大　今井むつみ
発 行 者………小池英彦
発 行 所………株式会社 扶桑社

〒105-8070
東京都港区芝浦 1-1-1 浜松町ビルディング
電話　03-6368-8870（編集）
　　　03-6368-8891（郵便室）
www.fusosha.co.jp

印刷・製本………株式会社広済堂ネクスト

Printed in Japan　ISBN 978-4-594-09579-6